ONZE
MINUTOS

Outros títulos de Paulo Coelho:

Adultério
Aleph
O alquimista
Brida
A bruxa de Portobello
O demônio e a srta. Prym
O diário de um mago
O dom supremo (com Henry Drummond)
A espiã
Hippie
Maktub
Manual do guerreiro da luz
Manuscrito encontrado em Accra
O monte cinco
Na margem do rio Piedra eu sentei e chorei
Ser como o rio que flui
O vencedor está só
As Valkírias
Veronika decide morrer
O Zahir

"Ó Maria, concebida sem pecado, rogai por nós, que recorremos a Vós." Amém.

ONZE MINUTOS

Copyright © 2003 by Paulo Coelho
http://paulocoelhoblog.com

Publicado mediante acordo com Sant Jordi Asociados Agencia Literaria SLU, Barcelona, Espanha.

Todos os direitos reservados.

A Editora Paralela é uma divisão da Editora Schwarcz S.A.

Grafia atualizada segundo o Acordo Ortográfico da Língua Portuguesa de 1990, que entrou em vigor no Brasil em 2009.

CAPA Alceu Chiesorin Nunes

ILUSTRAÇÃO DE CAPA Shutterstock

REVISÃO Nana Rodrigues e Marise Leal

Dados Internacionais de Catalogação na Publicação (CIP)
(Câmara Brasileira do Livro, SP, Brasil)

Coelho, Paulo
    Onze minutos / Paulo Coelho. — 1ª ed. — São Paulo :
Paralela, 2023.

    ISBN 978-85-8439-322-0

    1. Ficção brasileira I. Título.

23-149583
                CDD-B869.3

Índice para catálogo sistemático:
1. Ficção : Literatura brasileira B869.3

Eliane de Freitas Leite – Bibliotecária – CRB 8/8415

Todos os direitos desta edição reservados à
EDITORA SCHWARCZ S.A.
Rua Bandeira Paulista, 702, cj. 32
04532-002 — São Paulo — SP
Telefone: (11) 3707-3500
www.editoraparalela.com.br
atendimentoaoleitor@editoraparalela.com.br
facebook.com/editoraparalela
instagram.com/editoraparalela
twitter.com/editoraparalela

No dia 29 de maio de 2002, horas antes de colocar um ponto final neste livro, fui até a Gruta de Lourdes, na França, encher alguns galões com a água milagrosa da fonte que ali se encontra. Já dentro do terreno da catedral, um senhor de aproximadamente setenta anos me disse: "Sabe que você parece com o Paulo Coelho?" Respondi que era o próprio. O homem me abraçou e me apresentou sua esposa e sua neta. Falou da importância de meus livros em sua vida, concluindo: "Eles me fazem sonhar".

Já escutei esta frase várias vezes, e ela sempre me deixa contente. Naquele momento, entretanto, fiquei muito assustado — porque sabia que *Onze minutos* falava de um assunto delicado, contundente, chocante. Caminhei até a fonte, enchi os galões, voltei, perguntei onde morava o homem (no norte da França, perto da Bélgica) e anotei o seu nome.

Este livro é dedicado a você, Maurice Gravelines. Tenho uma obrigação para com você, sua mulher, sua neta e também para comigo: falar daquilo que me preocupa, e não do que todos gostariam de escutar. Alguns livros nos fazem sonhar, outros nos trazem à realidade, mas nenhum pode fugir daquilo que é mais importante para um autor: a honestidade no que escreve.

Apareceu certa mulher, conhecida na cidade como pecadora. Ela, sabendo que Jesus estava à mesa na casa do fariseu, levou um frasco de alabastro com perfume. A mulher se colocou por trás, chorando aos pés de Jesus; com as lágrimas começou a banhar-lhe os pés. Em seguida, os enxugava com os cabelos, cobria-os de beijos e os ungia com perfume. Vendo isso, o fariseu que havia convidado Jesus ficou pensando: "Se esse homem fosse mesmo um profeta, saberia que tipo de mulher está tocando nele, porque ela é pecadora".

Jesus disse então ao fariseu: "Simão, tenho uma coisa para dizer a você".

Simão respondeu: "Fale, mestre".

"Certo credor tinha dois devedores. Um lhe devia quinhentas moedas de prata, e outro lhe devia cinquenta. Como não tivessem com que pagar, o homem perdoou os dois. Qual deles o amará mais?"

Simão respondeu: "Acho que é aquele a quem ele perdoou mais".

Jesus lhe disse: "Você julgou certo".

Então Jesus voltou-se para a mulher e disse a Simão: "Está vendo esta mulher? Quando entrei em sua casa, você não me ofereceu água para lavar-me os pés; ela, porém, banhou meus pés com lágrimas e os enxugou com os cabelos. Você não me deu o beijo de saudação, ela, porém, desde que entrei, não parou de beijar meus pés. Você não derramou óleo na minha cabeça, ela, porém, ungiu os meus pés com perfume. Por isso eu declaro a você que os muitos pecados que ela cometeu estão perdoados, porque ela amou muito. Aquele que foi perdoado de pouco demonstra que pouco amou".

Lucas 7,37-47

Porque eu sou a primeira e a última
Eu sou a venerada e a desprezada
Eu sou a prostituta e a santa
Eu sou a esposa e a virgem
Eu sou a mãe e a filha
Eu sou os braços de minha mãe
Eu sou a estéril e numerosos são meus filhos
Eu sou a bem casada e a solteira
Eu sou a que dá à luz e a que jamais procriou
Eu sou a consolação das dores do parto
Eu sou a esposa e o esposo
E foi meu homem quem me criou
Eu sou a mãe do meu pai
Sou a irmã de meu marido
E ele é meu filho rejeitado
Respeitem-me sempre
Porque eu sou a escandalosa e a magnífica

Hino a Ísis, século III ou IV,
descoberto em Nag Hammadi

Antes de começar

Muitos escritores no mundo, desde o início da literatura, vêm discorrendo sobre sexo: do Egito à Grécia, e ao Japão, o tema é uma das principais preocupações humanas. Mas, apesar dos milhões de livros já publicados a respeito, ainda não entendemos nada do assunto, e não creio que *Onze minutos* possa fazer melhor: porque na sexualidade a única conquista viável é acabar com a mentira que povoa nosso imaginário, e isso só é possível quando temos a ousadia de praticar, de errar, mas de dizer a verdade sobre o que sentimos. Nós, homens, não temos coragem de dizer à mulher: ensine-me seu corpo. E a mulher tampouco nos diz: aprenda como sou. Ficamos no primitivo instinto de sobrevivência da espécie, na pseudoliberdade de poder falar abertamente sobre o tema em uma mesa de restaurante, mas, quando estamos entre quatro paredes, terminamos por nos descobrir como animais assustados, inseguros, frágeis. O que deveria ser um momento mágico se transforma em um ato de culpa, de achar-se sempre aquém das expectativas dos outros. Esquecemos que esta é uma das poucas situações na vida em que a palavra "expectativa" precisa ser banida por completo.

No decorrer de minha existência, vivi o sexo de muitas maneiras diferentes e contraditórias: nasci em uma época conservadora, quando a virgindade era essencial para definir uma mulher de caráter. Assisti ao surgimento da pílula anticoncepcional e do antibiótico, indispensáveis para a revolução sexual que viria a seguir. Vivi intensamente o período hippie, quando fomos para o extremo oposto, com o amor livre sendo praticado em concertos de rock. Terminei voltando para uma época meio conservadora, meio liberal, com uma nova doença contra a qual o antibiótico é inútil, e em que ninguém sabe exatamente para onde vai.

Passamos a viver em um mundo de comportamento-padrão: padrão de beleza, de qualidade, de inteligência, de eficiência. Achamos que existe um modelo para tudo, e que, seguindo esse modelo, estaremos seguros. Assim também estabelecemos um "padrão de sexo", que na verdade é composto de uma série de mentiras: orgasmo vaginal, virilidade acima de tudo, melhor fingir que deixar o outro decepcionado etc. Como consequência direta, esse tipo de atitude tem deixado milhões de pessoas frustradas, infelizes, culpadas.

Faz parte do mundo do escritor refletir sobre sua própria vida — e um livro sobre a sexualidade passou a ser uma prioridade para mim. No início imaginava partir diretamente para uma relação ideal entre dois seres; tentei diversas abordagens, e não consegui. Até que, ao conhecer a prostituta que serve de fio condutor a meu livro, entendi por que não conseguia desenvolver a história: para se falar de um sexo sublime, é preciso partir do ponto onde todos nós começamos: o medo de que tudo dê errado.

Onze minutos não se propõe a ser um manual ou um tratado sobre o homem e a mulher diante do mundo ainda desconhecido da relação sexual. É uma análise do meu próprio percurso, sem pretender, em momento algum, julgar aquilo que vivi. Custou muito até que eu aprendesse que o encontro físico de dois corpos é mais que uma simples resposta a certos estímulos carnais ou ao instinto de perpetuação da espécie. Na verdade, ele carrega consigo toda a carga cultural do homem e da humanidade.

O sexo é uma das áreas da vida em que a mentira é aceita como uma coisa normal. Mentimos para dar prazer ao próximo, sem nos darmos conta de que essa mentira pode — e vai — contagiar tudo o mais que é importante. Esquecemos que ali está a manifestação de uma energia espiritual chamada amor.

Esta compreensão é muito difícil de ser colocada em termos práticos, mas precisamos tentar. Então, a primeira coisa é entender que ela é composta de dois extremos, que vão caminhar juntos durante todo o ato: relaxamento e tensão.

Como colocar esses estados opostos em sintonia? Muito simples: não ter medo de errar. À medida que a busca do prazer é feita com entrega, com sinceridade, sentimos que o corpo vai ficando tenso como a corda de um arco, mas a mente vai relaxando, como a flecha que se prepara para ser disparada. O cérebro já não governa o processo, que passa a ser guiado pelo coração. E o coração utiliza os cinco sentidos para mostrar-se ao outro: tato, olfato, visão, audição, paladar, todos estão envolvidos — como nas experiências de êxtase religioso. É curioso que, na maioria das relações sexuais, as pessoas tentam usar apenas o tato e a visão: agindo assim, empobrecem a plenitude da experiência.

Se um parceiro se entrega por completo, ele quebra o bloqueio do outro, por mais forte que seja este bloqueio. Porque o ato da entrega significa "eu confio em você". Neste momento, entra em jogo a verdadeira energia sexual, e esta não se concentra apenas nas partes que chamamos de "eróticas". Ela se espalha pelo corpo inteiro, por cada fio de cabelo, por cada ponto da pele. Cada milímetro está agora emanando uma luz diferente, que é reconhecida pelo outro corpo e se combina com ele.

Quando isso acontece, entramos numa espécie de ritual ancestral, que é uma oportunidade de transformação. Um ritual, seja ele qual for, exige que você esteja pronto para deixar-se conduzir a uma nova percepção do mundo. É essa vontade que faz com que o ritual tenha sentido.

Não é complicado tudo isso? É muito mais complicado fazer sexo como o vemos ser feito hoje, um simples ato mecânico, que provoca tensão durante o transcurso e um vazio no final. É preciso ter consciência de que, quando dois corpos se encontram, eles estão entrando juntos num território desconhecido. Transformar isso numa experiência banal é perder a maravilha da aventura.

Mas nada disso pode ser aprendido em um livro — que na verdade apenas divide a experiência ou a visão do seu autor. Sexo é, sobretudo, ter coragem de viver seus paradoxos, sua individualidade, sua vontade de entrega. Foi para isso que escrevi *Onze minutos:* para ver se podia dizer a esta altura de minha vida, com cinquenta e cinco anos de idade, se eu tive coragem de aprender tudo o que a vida quis me ensinar a respeito.

PAULO COELHO
Julho de 2003

Era uma vez uma prostituta chamada Maria.

Um momento. "Era uma vez" é a melhor maneira de começar uma história para crianças, enquanto "prostituta" é assunto para adultos. Como posso escrever um livro com esta aparente contradição inicial? Mas, enfim, como a cada instante de nossa vida temos um pé no conto de fadas e outro no abismo, vamos manter este início:

Era uma vez uma prostituta chamada Maria.

Como todas as prostitutas, tinha nascido virgem e inocente, e durante a adolescência sonhara em encontrar o homem de sua vida (rico, bonito, inteligente), casar (vestida de noiva), ter dois filhos (que seriam famosos quando crescessem) e viver em uma linda casa (com vista para o mar). Seu pai trabalhava como vendedor ambulante, sua mãe era costureira, sua cidade no interior do Brasil tinha apenas um cinema, uma boate e uma agência bancária. Por isso Maria não deixava de esperar o dia em que seu príncipe encantado chegaria sem aviso, arrebataria seu coração e partiria com ela para conquistar o mundo.

Enquanto seu herói não aparecia, só lhe restava sonhar. Apaixonou-se pela primeira vez aos onze anos, quando ia a pé de casa até a escola primária local. No primeiro dia de aula, descobriu que não estava sozinha em seu trajeto: junto com ela caminhava um garoto que vivia na vizinhança e frequentava aulas no mesmo horário. Os dois nunca trocaram uma só palavra, mas Maria começou a notar que a parte do dia que mais lhe agradava eram aqueles momentos na estrada cheia de poeira, sede, cansaço, o sol a pino, o menino andando rápido, enquanto ela se exauria no esforço para acompanhar-lhe os passos.

A cena se repetira por vários meses. Maria, que detestava estudar e não tinha outra distração na vida exceto a televisão, começou a torcer para que o dia passasse rápido, aguardando com ansiedade cada ida à escola e, ao contrário de algumas meninas de sua idade, achando aborrecidíssimos os fins de semana. Como as horas demoram muito mais a passar para uma criança do que para um adulto, ela sofria muito, achava os dias longos demais porque lhe davam apenas dez minutos com o amor de sua vida e milhares de horas para ficar pensando nele, imaginando como seria bom se pudessem conversar.

Então aconteceu.

Certa manhã, o garoto veio até ela, pedindo um lápis emprestado. Maria não respondeu, fez um ar de irritação por aquela abordagem inesperada e apressou o passo. Tinha ficado petrificada ao vê-lo caminhar em sua direção; tinha pavor de que soubesse quanto o amava, quanto esperava por ele, como sonhava em pegar sua mão, passar diante do portão da escola e seguir até o fim da estrada, onde — diziam — se encontravam uma grande cidade, personagens de novela, artistas, carros, cinemas e um sem-fim de coisas boas.

Durante o resto do dia não conseguiu concentrar-se na aula, sofrendo com seu comportamento absurdo, mas ao mesmo tempo sentindo-se aliviada, porque sabia que o menino também a havia notado e o lápis não passara de um pretexto para iniciar uma conversa, pois quando ele se aproximara ela percebera uma caneta em seu bolso. Ficou aguardando a próxima vez, e durante aquela noite — e as noites que se seguiram — ela passou a imaginar as possíveis respostas que lhe daria, até encontrar a maneira certa de começar uma história que não terminasse jamais.

Mas não houve uma próxima vez; embora continuassem a ir juntos para a escola, com Maria às vezes alguns passos à frente segurando um lápis na mão direita, outras andando atrás para poder contemplá-lo com ternura, ele nunca mais lhe dirigiu qualquer palavra, e ela teve que se contentar em amar e sofrer silenciosamente até o final do ano letivo.

Durante as férias intermináveis que se seguiram, acordou certa manhã com as pernas banhadas em sangue, pensou que iria morrer; decidiu deixar uma carta para o menino dizendo que ele havia sido o grande amor da sua vida, e planejou embrenhar-se no sertão para ser devorada por uma daquelas criaturas selvagens que aterrorizavam os camponeses da região: o lobisomem ou a mula sem cabeça. Só assim os seus pais não sofreriam com sua morte, pois os pobres têm sempre esperança, apesar das tragédias que lhes acontecem. Assim, eles viveriam pensando que ela fora raptada por uma família rica e sem filhos, mas que talvez voltasse um dia, no futuro, cheia de glória e dinheiro — enquanto o atual (e eterno) amor de sua vida se lembraria dela para sempre, sofrendo a cada manhã por não ter voltado a lhe dirigir a palavra.

Não chegou a escrever a carta, porque sua mãe entrou no quarto, viu os lençóis vermelhos, sorriu e disse:

— Agora você é uma moça, minha filha.

Quis saber que relação havia entre o fato de ser moça e o sangue que corria, mas sua mãe não soube explicar direito, apenas afirmou que era normal e que de agora em diante teria que usar uma espécie de travesseiro de boneca entre as pernas, durante quatro ou cinco dias por mês. Perguntou se os homens usavam algum tubo para evitar que o sangue escorresse pelas calças, e soube que isso só acontecia com as mulheres.

Maria reclamou com Deus, mas terminou se acostumando com a menstruação. Entretanto não conseguia acostumar-se com a ausência do menino e não parava de recriminar a si mesma pela atitude estúpida de sair correndo daquilo que mais desejava. Um dia antes de as aulas recomeçarem, ela foi até a única igreja da cidade e jurou à imagem de Santo Antônio que iria tomar a iniciativa de conversar com o garoto.

No dia seguinte, arrumou-se da melhor maneira possível, usando um vestido que a mãe costurara especialmente para a ocasião, e saiu — agradecendo a Deus por terem finalmente terminado as férias. Mas o menino não apareceu. E assim se passou mais uma angustiante semana, até que soube, por alguns colegas, que ele havia mudado de cidade.

— Foi para longe — disse alguém.

Naquele momento, Maria aprendeu que certas coisas se perdem para sempre. Aprendeu também que existia um lugar chamado "longe", que o mundo era vasto, sua aldeia era pequena e as pessoas mais interessantes sempre acabavam indo embora. Gostaria também de poder partir, mas ainda era muito jovem; mesmo assim, olhando as ruas empoeiradas da cidadezinha onde morava, decidiu que um dia seguiria os passos do menino. Nas nove sextas-feiras que se seguiram, conforme o costume de sua religião, comungou e pediu à Virgem Maria que algum dia a tirasse dali.

Também sofreu por algum tempo, tentando inutilmente encontrar alguma pista do garoto, mas ninguém sabia para onde seus pais haviam se mudado. Maria então começou a achar o mundo grande demais; o amor, algo muito perigoso; e a Virgem, uma santa que habitava um céu distante e não ligava para o que as crianças pediam.

Três anos se passaram, ela aprendeu geografia e matemática, começou a acompanhar as novelas na TV, leu na escola suas primeiras revistas eróticas e passou a escrever um diário falando da sua vida monótona e da vontade que tinha de conhecer aquilo que lhe ensinavam — oceano, neve, homens de turbante, mulheres elegantes e cobertas de joias. Mas, como ninguém pode viver de vontades impossíveis — principalmente quando a mãe é costureira e o pai não para em casa —, logo entendeu que precisava prestar mais atenção ao que se passava à sua volta. Estudava para vencer, ao mesmo tempo que procurava alguém com quem pudesse compartilhar seus sonhos de aventuras. Quando completou quinze anos, apaixonou-se por um rapaz que conhecera em uma procissão na Semana Santa.

Não repetiu o erro da infância: conversaram, ficaram amigos, passaram a ir ao cinema e às festas juntos. Também notou que, assim como acontecera com o menino, o amor estava mais associado à ausência do que à presença do outro: vivia sentindo falta do rapaz, passava horas imaginando sobre o que iam conversar no próximo encontro e relembrava cada segundo que estiveram juntos, procurando descobrir o que tinha feito de certo ou de errado. Gostava de ver a si mesma como uma moça experiente, que já deixara escapar uma grande paixão, sabia a dor que isso causava — e agora estava decidida a lutar com todas as forças por este homem, pelo casamento, pois este seria o homem para o casamento, os filhos, a casa em frente ao mar. Foi conversar com a mãe, que lhe implorou:

— Ainda é muito cedo, minha filha.

— Mas a senhora casou-se com meu pai quando tinha dezesseis anos.

A mãe não queria explicar que fora por causa de uma gravidez inesperada, de modo que usou o argumento "os tempos são outros", encerrando o assunto.

No dia seguinte, os dois foram caminhar por um campo nos arredores da cidade. Conversaram um pouco, Maria perguntou se ele não tinha vontade de viajar, mas, em vez de responder, ele a tomou nos braços e lhe deu um beijo.

O primeiro beijo de sua vida! Como sonhara com aquele momento! E a paisagem era especial — as garças voando, o pôr do sol, a região semiárida com sua beleza agreste, o som de uma música ao longe. Maria fingiu reagir contra o avanço, mas logo o abraçou e repetiu aquilo que vira tantas vezes no cinema, nas revistas e na TV: esfregou com alguma violência os seus lábios nos dele, mexendo a cabeça de um lado para outro, em um movimento meio ritmado, meio descontrolado. Sentiu que, de vez em quando, a língua do rapaz tocava os seus dentes, e achou aquilo delicioso.

Mas ele parou de beijá-la de repente.

— Você não quer? — perguntou.

Que devia responder? Que queria? Claro que queria! Mas uma mulher não deve se expor dessa maneira, principalmente para o seu futuro marido, ou ele ficará o resto da vida desconfiado de que ela aceita tudo com muita facilidade. Preferiu não dizer nada.

Ele abraçou-a de novo, repetindo o gesto, desta vez com menos entusiasmo. Tornou a parar, vermelho — e Maria sabia que algo estava muito errado, mas tinha medo de perguntar. Pegou-o pela mão e caminharam até a cidade, conversando sobre outros assuntos, como se nada tivesse acontecido.

Naquela noite, escolhendo algumas palavras difíceis porque achava que um dia tudo o que escrevesse seria lido, e certa de que algo muito grave se passara, anotou no seu diário:

Quando nos encontramos com alguém e nos apaixonamos, temos a impressão de que todo o Universo está de acordo; hoje eu vi isso acontecer no pôr do sol. Entretanto, se algo dá errado, não sobra nada! Nem as garças, nem a música ao longe, nem o sabor dos lábios dele. Como é que pode desaparecer tão rápido a beleza que ali estava fazia poucos minutos?

A vida é muito rápida; faz a gente ir do céu ao inferno em questão de segundos.

No dia seguinte foi conversar com as amigas. Todas viram quando ela saíra para passear com seu futuro "namorado" — afinal, não basta ter um grande amor, é preciso também fazer com que todos saibam que você é uma pessoa muito desejada. Estavam curiosíssimas para saber o que tinha acontecido e Maria, cheia de si, disse que a melhor parte foi a língua que tocava nos seus dentes. Uma das garotas riu.

— Você não abriu a boca?

De repente, tudo ficou claro — a pergunta, a decepção.

— Para quê?

— Para deixar que a língua entrasse.

— E qual é a diferença?

— Não tem explicação. É assim que se beija.

Risinhos escondidos, ares de suposta piedade, vingança comemorada entre as meninas que jamais tiveram um rapaz apaixonado. Maria fingiu que não dava importância, riu também — embora sua alma chorasse. Secretamente blasfemou contra o cinema, que lhe havia ensinado a fechar os olhos, segurar a cabeça do outro com a mão, mover o rosto um pouco para a esquerda, um pouco para a direita, mas que não mostrava o essencial, o mais importante. Elaborou uma explicação perfeita (eu não quis entregar-me logo, porque não estava convencida, mas agora descobri que você é o homem da minha vida) e aguardou a próxima oportunidade.

Mas só viu o rapaz três dias depois, em uma festa no clube da cidade, segurando a mão de uma amiga sua — a mesma que lhe perguntara sobre o beijo. Ela de novo fingiu que não tinha importância, aguentou até o fim da noite conversando com as companheiras sobre artistas famosos e rapazes da cidade, fingindo ignorar alguns olhares piedosos que de vez em quando uma delas lhe lançava. Ao chegar em casa, porém, deixou que seu universo desabasse, chorou a noite inteira, sofreu por oito meses seguidos e concluiu que o amor não fora feito para ela, nem ela para o amor. A partir daí, passou a considerar a possibilidade de transformar-se em religiosa, dedicando o resto da vida a um tipo de amor que não fere e não deixa marcas dolorosas no coração — o amor a Jesus. Na escola falavam de missionários que iam para a África, e ela decidiu que ali estava a saída de sua vida sem emoções. Fez planos para entrar no convento, aprendeu primeiros socorros (já que, segundo alguns professores, muita gente morria na África), dedicou-se com mais afinco às aulas de religião e começou a imaginar-se como santa dos tempos modernos, salvando vidas e conhecendo as florestas onde habitavam tigres e leões.

Entretanto, o ano do seu décimo quinto aniversário não lhe reservara apenas a descoberta de que o beijo se dá com a boca aberta, ou de que o amor é sobretudo uma fonte de sofrimento. Descobriu uma terceira coisa: a masturbação. Foi quase por acaso, brincando com seu sexo enquanto esperava a mãe voltar para casa. Costumava fazer isso quando era criança, e gostava muito da sensação agradável — até que um dia seu pai a surpreendeu e lhe deu uma surra, sem explicar o motivo. Jamais esqueceu as pancadas e aprendeu que não devia tocar-se na frente dos outros. Como não podia fazer isso no meio da rua, e como em sua casa não havia um quarto só para ela, esqueceu-se da sensação agradável.

Até aquela tarde, quase seis meses depois do beijo.

A mãe demorou, ela nada tinha que fazer, o pai havia acabado de sair com um amigo e, na falta de um programa interessante na televisão, começou a examinar o próprio corpo — na esperança de encontrar alguns pelos indesejados, que logo seriam arrancados com uma pinça. Para sua surpresa, notou uma protuberância na parte superior da vagina; começou a brincar com ela, e já não conseguia mais parar; era cada vez mais gostoso, mais intenso, e todo o seu corpo — principalmente a parte que ela tocava — ia ficando rígido. Aos poucos começou a entrar em uma espécie de paraíso, a sensação foi-se intensificando, ela notou que já não enxergava ou escutava direito, tudo parecia ter ficado amarelo, até que gemeu de prazer e teve seu primeiro orgasmo.

Orgasmo! Gozo!

Foi como se tivesse subido até o céu e agora descesse de paraquedas, lentamente, para a terra. Seu corpo estava encharcado de suor, mas ela sentia-se completa, realizada, cheia de energia. Então era aquilo o sexo! Que maravilha! Nada de revistas pornográficas, com todo mundo falando de prazer, mas fazendo cara de dor. Nada de precisar de homens, que gostavam do corpo mas desprezavam o coração de uma mulher. Podia fazer tudo sozinha! Repetiu uma segunda vez, agora imaginando que era um ator famoso que a tocava, e de novo foi até o paraíso e desceu de paraquedas, ainda mais cheia de energia. Quando ia começar pela terceira vez, a mãe chegou.

Maria foi conversar com as amigas sobre sua nova descoberta, desta vez evitando dizer que tivera sua primeira experiência poucas horas atrás. Todas — com exceção de duas — sabiam do que se tratava, mas nenhuma delas havia ousado falar sobre o tema. Foi o momento de Maria sentir-se revolucionária, líder do grupo e, inventando um absurdo "jogo de confissões secretas", pediu a cada uma que contasse a maneira preferida de masturbar-se. Aprendeu várias técnicas diferentes, como ficar debaixo do cobertor em pleno verão (porque, dizia uma delas, o suor ajudava), usar uma pena de ganso para tocar o local (ela não sabia o nome do local), deixar que um rapaz fizesse aquilo (para Maria isso parecia desnecessário), usar o chuveiro do bidê (não possuía um em casa, mas, assim que visitasse uma das amigas ricas, iria experimentar).

De qualquer maneira, ao descobrir a masturbação, e depois de usar algumas das técnicas que tinham sido sugeridas pelas amigas, desistiu para sempre da vida religiosa. Aquilo lhe dava muito prazer — e, pelo que insinuavam na igreja, o sexo era o maior dos pecados. Por meio das mesmas amigas, começou a ouvir lendas a respeito: a masturbação enchia o rosto de espinhas, podia levar à loucura, ou à gravidez. Correndo todos esses riscos, continuou a se dar prazer pelo menos uma vez por semana, geralmente às quartas-feiras, quando seu pai saía para jogar baralho com os amigos.

Ao mesmo tempo, ficava cada vez mais insegura na sua relação com os homens — e com mais vontade de ir embora do lugar onde vivia. Apaixonou-se uma terceira, quarta vez, já sabia beijar, tocava e deixava-se tocar quando estava sozinha com os namorados — mas sempre acontecia algo de errado, e a relação terminava exatamente no momento em que estava finalmente convencida de que aquela era a pessoa certa para ficar com ela o resto da vida. Depois de muito tempo, acabou concluindo que os homens traziam apenas dor, frustração, sofrimento e a sensação de que os dias se arrastavam. Certa tarde, quando estava no parque olhando uma mãe brincar com seu filho de dois anos, decidiu que podia até pensar em marido, filhos e casa com vista para o mar, mas jamais tornaria a se apaixonar novamente — porque a paixão estragava tudo.

E assim se passaram os anos da adolescência de Maria. Foi ficando cada vez mais bonita, por causa do seu ar misterioso e triste, e muitos homens se apresentaram. Saiu com um, com outro, sonhou e sofreu — apesar da promessa que fizera de jamais se apaixonar de novo. Em um desses encontros, perdeu a virgindade no banco de trás de um carro; ela e seu namorado estavam se tocando com mais ardor do que de costume, o rapaz se entusiasmou e ela — cansada de ser a última virgem do seu grupo de amigas — permitiu que ele a penetrasse. Ao contrário da masturbação, que a levava ao céu, aquilo apenas deixou-a dolorida, com um fio de sangue que manchou a saia e custou a sair. Não teve a sensação mágica do primeiro beijo — as garças voando, o pôr do sol, a música... não, ela não queria mais lembrar-se daquilo.

Fez amor com o mesmo rapaz algumas outras vezes, depois de ameaçá-lo, dizendo que seu pai era capaz de matá-lo se descobrisse que tinha violentado sua filha. Transformou-o em um instrumento de aprendizado, procurando de todas as maneiras entender onde estava o prazer do sexo com um parceiro.

Não entendeu; a masturbação dava muito menos trabalho e muito mais recompensas. Mas todas as revistas, programas de TV, livros, amigas, tudo, ABSOLUTAMENTE TUDO dizia que um homem era importante. Maria começou a achar que devia ter algum problema sexual inconfessável, concentrou-se ainda mais nos estudos e esqueceu por uns tempos essa coisa maravilhosa e assassina chamada Amor.

* * *

DO DIÁRIO DE MARIA, quando tinha dezessete anos:

Meu objetivo é compreender o amor. Sei que estava viva quando amei, e sei que tudo que tenho agora, por mais interessante que possa parecer, não me entusiasma.

Mas o amor é terrível: tenho visto minhas amigas sofrerem e não quero que isso me aconteça. Elas, que antes riam de mim e da minha inocência, agora me perguntam como é que eu consigo dominar os homens tão bem. Sorrio e fico calada, porque sei que o remédio é pior do que a própria dor: simplesmente não me apaixono. A cada dia que passa, vejo com mais clareza como os homens são frágeis, inconstantes, inseguros, surpreendentes... Alguns pais dessas amigas já me fizeram propostas, eu recusei. Antes, ficava chocada, agora acho que é parte da natureza masculina.

Embora meu objetivo seja compreender o amor e embora sofra por causa das pessoas a quem entreguei meu coração, vejo que aqueles que me tocaram a alma não conseguiram despertar meu corpo, e aqueles que tocaram meu corpo não conseguiram atingir minha alma.

Completou dezenove anos, terminou o curso secundário, encontrou um emprego em uma loja de tecidos e o chefe se apaixonou por ela — mas Maria àquela altura sabia como usar um homem sem ser usada por ele. Jamais deixou que a tocasse, embora sempre se mostrasse insinuante, conhecendo o poder de sua beleza.

Poder da beleza: e como seria o mundo para as mulheres feias? Tinha algumas amigas nas quais ninguém reparava nas festas, às quais ninguém perguntava "como vai?". Por incrível que pareça, essas meninas valorizavam muito mais o pouco amor que recebiam, sofriam em silêncio quando eram rejeitadas e procuravam enfrentar o futuro buscando outras coisas que não se enfeitar para alguém. Eram mais independentes, mais dedicadas a si mesmas, embora na imaginação de Maria o mundo devesse lhes parecer insuportável.

Ela, porém, tinha consciência da própria beleza, e, embora quase sempre esquecesse os conselhos de sua mãe, pelo menos um deles não lhe saía da cabeça: "Minha filha, a beleza não dura". Por causa disso, continuou mantendo uma relação nem íntima nem distante com seu patrão, o que significou um considerável aumento de salário (não sabia até quando conseguiria mantê-lo, talvez apenas enquanto ele mantivesse a esperança de um dia levá-la para a cama, mas, enquanto isso, continuava ganhando bem), além de comissão por trabalhar horas extras (afinal de contas, o homem gostava de tê-la por perto, talvez por temer que, saindo à noite, pudesse encontrar um grande amor). Trabalhou vinte e quatro meses sem parar, pôde dar uma mesada para os pais e finalmente conseguiu! Arranjou dinheiro suficiente para, nas férias, passar uma semana na cidade de seus sonhos, o lugar dos artistas, o cartão-postal do seu país: Rio de Janeiro!

O chefe se ofereceu para acompanhá-la e pagar todas as suas despesas, mas Maria mentiu, dizendo que a única condição que sua mãe lhe impusera fora dormir na casa de um primo que lutava jiu-jítsu, já que ela estava indo para um dos lugares mais perigosos do mundo.

— Além do mais — continuou —, o senhor não pode deixar a loja assim, sem uma pessoa de confiança tomando conta.

— Não me chame de senhor — disse ele, e Maria reparou em seus olhos aquilo que já conhecia: o fogo da paixão. Isso a surpreendeu, porque achava que aquele homem estava apenas interessado em sexo; entretanto, seu olhar dizia exatamente o oposto: "Posso lhe dar uma casa, uma família e algum dinheiro para seus pais". Pensando no futuro, resolveu alimentar a fogueira.

Disse que iria sentir muita falta daquele trabalho que tanto amava, das pessoas com quem adorava conviver (fez questão de não mencionar ninguém em particular, deixando no ar o mistério: será que "as pessoas" se referia a ele?) e prometeu tomar muito cuidado com sua carteira e sua integridade. A verdade era outra: não queria que ninguém, absolutamente ninguém, estragasse aquela que seria sua primeira semana de total liberdade. Gostaria de fazer tudo — tomar banho de mar, conversar com estranhos, olhar vitrines de lojas e estar disponível para que um príncipe encantado aparecesse e a raptasse para sempre.

— O que é uma semana, afinal? — disse com um sorriso sedutor, torcendo para que estivesse errada. — Passa rápido, e em breve estarei de volta, cuidando de minhas responsabilidades.

O chefe, desconsolado, relutou um pouco, mas terminou aceitando, pois a essa altura já estava fazendo planos secretos de pedi-la em casamento assim que voltasse, e não queria ser afoito demais e estragar tudo.

Maria viajou quarenta e oito horas de ônibus, hospedou-se em um hotel de quinta categoria em Copacabana (ah, Copacabana! Esta praia, este céu...) e, antes mesmo de desfazer as malas, agarrou um biquíni que havia comprado, vestiu-o e, apesar do tempo nublado, foi para a praia. Olhou o mar, sentiu pavor, mas acabou entrando na água, morrendo de vergonha.

Ninguém na praia notou que aquela menina estava tendo seu primeiro contato com o oceano, a deusa Iemanjá, as correntes marítimas, a espuma das ondas e a costa da África, com seus leões, do outro lado do Atlântico. Quando saiu da água, foi abordada por uma mulher que vendia sanduíches naturais, um belo negro que lhe perguntou se estava livre para sair aquela noite e um homem que não falava uma só palavra em português, mas que fazia gestos e a convidava para tomar uma água de coco.

Maria comprou o sanduíche porque teve vergonha de dizer "não", mas evitou falar com os outros dois estranhos. De um momento para outro, ficou triste; afinal, agora que tinha todas as possibilidades de fazer tudo o que queria, por que agia de maneira absolutamente reprovável? Na falta de uma boa explicação, sentou-se para esperar que o sol surgisse por detrás das nuvens, ainda surpresa com sua própria coragem e com a temperatura da água, tão fria em pleno verão.

O homem que não falava português, entretanto, apareceu ao seu lado e lhe ofereceu uma água de coco. Contente por não ser obrigada a conversar com ele, ela aceitou a oferta, sorriu e ele sorriu de volta. Por algum tempo, ficaram nessa confortável comunicação que não queria dizer nada — sorriso para cá, sorriso para lá —, até que o homem pegou um dicionário de bolso de capa vermelha e disse, com um sotaque estranho: "bonita". Ela sorriu de novo; bem que gostaria de encontrar o seu príncipe encantado, mas deveria falar sua língua e ser um pouco mais jovem.

O homem insistiu, folheando o léxico:

— Jantar hoje?

E logo comentou:

— Suíça!

Completando com palavras que soam como sinos do paraíso, em qualquer língua em que sejam pronunciadas:

— Emprego! Dólar!

Maria não conhecia o restaurante Suíça, mas será que as coisas eram assim tão fáceis e os sonhos se realizavam tão depressa? Melhor desconfiar:

— Muito obrigada pelo convite, estou ocupada — e tampouco estava interessada em comprar dólares.

O homem, que não entendeu uma só palavra de sua resposta, começou a ficar desesperado; depois de muitos sorrisos para cá, sorrisos para lá, deixou-a por alguns minutos, voltando logo com um intérprete. Por intermédio dele, explicou que vinha da Suíça (não era um restaurante, era o país) e que gostaria de jantar com ela, pois tinha uma oferta de emprego. O intérprete, que se apresentara como assessor do estrangeiro e segurança do hotel onde o homem estava hospedado, acrescentou por sua conta:

— Se fosse você, aceitava. Este homem é um importante empresário artístico e veio descobrir novos talentos para trabalhar na Europa. Se quiser, posso lhe apresentar outras pessoas que aceitaram o convite, ficaram ricas e hoje estão casadas e com filhos que não precisam enfrentar assaltos ou problemas de desemprego.

E, tentando impressioná-la com sua cultura internacional, completou:

— Além do mais, na Suíça fazem excelentes chocolates e relógios.

A experiência artística de Maria se resumia a representar uma vendedora de água — que entrava muda e saía calada — na peça sobre a Paixão de Cristo realizada pela prefeitura durante a Semana Santa. Não tinha conseguido dormir direito no ônibus, mas estava excitada com o mar, cansada de comer sanduíches naturais e antinatu-

36

rais e confusa porque não conhecia ninguém e precisava encontrar logo um amigo. Já passara por aquele tipo de situação antes, quando um homem promete tudo e não cumpre nada, de modo que sabia que essa história de atriz era apenas uma maneira de tentar fazê-la se interessar por algo que fingia não querer.

Mas, certa de que a Virgem lhe oferecera aquela chance e convencida de que tinha de aproveitar cada segundo daquela sua semana de férias, e conhecer um bom restaurante significava ter algo muito importante para contar quando voltasse à sua terra, resolveu aceitar o convite — desde que o intérprete a acompanhasse, pois já estava ficando cansada de sorrir e fingir que estava entendendo o que o estrangeiro dizia.

O único problema era também o maior de todos: não tinha roupa adequada. Uma mulher jamais confessa essas intimidades (é mais fácil aceitar que seu marido a traiu do que confessar o estado do seu guarda-roupa), mas, como não conhecia aqueles homens, e talvez jamais tornasse a vê-los, resolveu que não tinha nada a perder.

— Acabo de chegar do Nordeste, não tenho roupa para ir a um restaurante.

O homem, por intermédio do intérprete, pediu que não se preocupasse, e solicitou o endereço do seu hotel. Naquela tarde, ela recebeu um vestido como jamais tinha visto em toda a sua vida, acompanhado de um par de sapatos que devia ter custado tanto quanto ela ganhava durante o ano.

Sentiu que ali começava o caminho pelo qual tanto ansiara durante sua infância e adolescência no sertão brasileiro, convivendo com a seca, os rapazes sem futuro, a cidade honesta mas pobre, a vida enfadonha e sem graça: estava prestes a transformar-se na princesa do Universo! Um homem lhe oferecera emprego, dólar, um par de sapatos caríssimos e um vestido de conto de fadas! Faltava maquiagem, mas a recepcionista que tomava conta do seu hotel, solidária, ajudou-a, não sem antes preveni-la de que nem todos os estrangeiros são bons e nem todos os cariocas são assaltantes.

Maria ignorou o aviso, vestiu-se com aquele presente dos céus, ficou horas diante do espelho, arrependida de não ter trazido uma simples máquina fotográfica para registrar o momento, até que finalmente se deu conta de que já estava atrasada para o compromisso. Saiu correndo, tal qual Cinderela, e foi até o hotel onde o suíço se encontrava.

Para sua surpresa, o intérprete foi logo dizendo que não iria acompanhá-los:

— Não se preocupe com a língua. O importante é ele sentir-se bem ao seu lado.

— Mas como, se não vai entender o que estou dizendo?

— Justamente por isso. Não precisam conversar, é uma questão de energia.

Maria não sabia o que significava "uma questão de energia". Na sua terra, as pessoas precisavam trocar palavras, frases, perguntas, respostas, sempre que se encontravam. Mas Maílson — assim se chamava o intérprete/ segurança — garantiu que no Rio de Janeiro, e no resto do mundo, as coisas eram diferentes.

— Não precisa entender, apenas procure fazê-lo sentir-se bem. O homem é viúvo, sem filhos, dono de boate e está procurando brasileiras que queiram apresentar-se no exterior. Expliquei que você não fazia o tipo, mas ele insistiu, dizendo que se apaixonara assim que a viu sair da água. Também achou o seu biquíni lindo.

Fez uma pausa.

— Sinceramente, se quiser arranjar namorado aqui, precisa trocar o modelo de biquíni; afora este suíço, acho que ninguém mais no mundo irá gostar; é muito antiquado.

Maria fingiu que não ouvira. Maílson continuou:

— Acho que ele não deseja apenas uma aventura com você; considera que tem talento suficiente para transformar-se na principal atração de sua boate. Claro que não a viu cantar, nem dançar, mas isso se pode aprender, enquanto a beleza é algo com que se nasce. Esses europeus são mesmo assim: chegam por aqui, acham que todas as brasileiras são sensuais e sabem sambar. Se ele for sério em suas intenções, aconselho que peça um contrato assinado — e com firma reconhecida no consulado suíço — antes de sair do país. Amanhã estarei na praia, em frente ao hotel, procure-me se tiver alguma dúvida.

O suíço, sorrindo, pegou-a pelo braço e mostrou o táxi que os esperava.

— Entretanto, se a intenção dele for outra, e a sua também, o preço normal de uma noite é de trezentos dólares. Não deixe por menos.

Antes que pudesse responder, já estava a caminho do restaurante, com o homem ensaiando as palavras que desejava dizer. A conversa foi muito simples:

— Trabalhar? Dólar? Estrela brasileira?

Maria, no entanto, ainda pensava no comentário do segurança/intérprete: trezentos dólares por uma noite! Que fortuna! Não precisava sofrer por amor, podia seduzi-lo como fizera com o dono da loja de tecidos, casar, ter filhos e dar uma vida confortável aos seus pais. O que tinha a perder? Ele era velho, talvez não demorasse muito a morrer, e ela ia ficar rica — afinal, parecia que os suíços tinham muito dinheiro e poucas mulheres em sua terra.

Jantaram sem conversar muito — sorriso para cá, sorriso para lá, Maria entendendo aos poucos o que era "energia" — e o homem lhe mostrou um álbum com várias coisas escritas em uma língua que não conhecia; fotos de mulheres de biquíni (sem dúvida, melhores e mais ousados do que o que estava usando aquela tarde), recortes de jornais, folhetos espalhafatosos onde tudo que entendia era a palavra "Brazil", escrita errado (afinal, na escola não lhe ensinaram que se escrevia com "s"?). Bebeu muito, com medo de que o tal suíço lhe fizesse uma proposta (afinal, embora jamais tivesse feito isso em sua vida, ninguém pode desprezar trezentos dólares, e com um pouco de álcool as coisas ficam muito mais simples, principalmente se não há ninguém de sua cidade por perto). Mas o homem se comportou como um cavalheiro, inclusive puxando a cadeira para ela se sentar e levantar. No final, disse que estava cansada e marcou um encontro na praia no dia seguinte (apontou a hora no relógio, fez com as mãos o movimento das ondas do mar, disse "a-ma-nhã" bem devagar).

Ele pareceu satisfeito, olhou para o seu relógio (possivelmente suíço) e concordou com a hora.

Não dormiu direito. Sonhou que tudo era um sonho. Acordou e viu que não era: havia um vestido na cadeira do quarto modesto, um belo par de sapatos, e um encontro na praia.

* * *

DO DIÁRIO DE MARIA, no dia em que conheceu o suíço:

Tudo me diz que estou prestes a tomar uma decisão errada, mas os erros são uma maneira de agir. O que o mundo quer de mim? Que não corra riscos? Que volte para o lugar de onde vim, sem coragem de dizer "sim" para a vida?

Já agi errado quando tinha onze anos e um menino veio me pedir um lápis emprestado; desde então, entendi que às vezes não existe uma segunda oportunidade, é melhor aceitar os presentes que o mundo oferece. Claro que é arriscado, mas será que o risco é maior do que um acidente com o ônibus que levou quarenta e oito horas para me trazer até aqui? Se tiver que ser fiel a alguém ou a alguma coisa, em primeiro lugar tenho que ser fiel a mim mesma. Se busco o amor verdadeiro, antes preciso ficar cansada dos amores medíocres que encontrei. A pouca experiência de vida que tenho me ensinou que ninguém é dono de nada, tudo é uma ilusão — e isso vai dos bens materiais aos bens es-

pirituais. Quem já perdeu alguma coisa que tinha como garantida (algo que já me aconteceu tantas vezes) termina por aprender que nada lhe pertence.

E, se nada me pertence, tampouco preciso gastar meu tempo cuidando das coisas que não são minhas; melhor viver como se hoje fosse o primeiro (ou o último) dia da minha vida.

No dia seguinte, por intermédio de Maílson, o intérprete/segurança que agora se apresentava como seu empresário, disse que aceitava o convite, desde que tivesse um documento fornecido pelo consulado suíço. O gringo, que parecia acostumado a esse tipo de exigência, afirmou que aquilo também era desejo seu, já que, para trabalhar na sua terra, uma estrangeira deveria provar que tinha uma ocupação que nenhuma nativa pudesse exercer. Não seria difícil conseguir isso, já que as suíças não tinham grande aptidão para o samba. Foram juntos até o centro da cidade. O segurança/intérprete/empresário exigiu um adiantamento em dinheiro vivo assim que assinaram o contrato, e ficou com trinta por cento dos quinhentos dólares recebidos.

— Isso é uma semana de adiantamento. Uma semana, você entende? Irá ganhar quinhentos dólares por semana, limpos, porque só recebo comissão no primeiro pagamento!

Até aquele momento, as viagens, a ideia de ir para longe, tudo parecia um sonho — e sonhar é muito confortável, desde que não sejamos obrigados a fazer aquilo que planejamos. Assim, não passamos por riscos, frustrações, momentos difíceis, e quando ficarmos velhos poderemos sempre culpar os outros — nossos pais, de preferência, ou nosso marido, ou nossos filhos — por não termos realizado aquilo que desejávamos.

De repente, ali estava a chance que tanto esperava, mas que torcia para que não chegasse nunca! Como enfrentar os desafios e perigos de uma vida que ela não conhecia? Como abandonar tudo aquilo a que estava acostumada? Por que a Virgem decidira ir tão longe?

Maria consolou-se com o fato de que podia mudar de ideia a qualquer momento, tudo não passava de uma brincadeira irresponsável — algo diferente para contar quando voltasse à sua terra. Afinal de contas, morava a mais de mil quilômetros dali, tinha agora trezentos e cinquenta dólares na carteira e, se amanhã resolvesse fazer as malas e fugir, eles jamais conseguiriam saber onde havia se escondido.

Na tarde em que foram ao consulado, ela resolveu passear sozinha pela beira-mar, olhando as crianças, os jogadores de vôlei, os mendigos, os bêbados, os vendedores de artesanato típico brasileiro (fabricado na China), os que corriam e faziam exercícios para afugentar a velhice, os turistas estrangeiros, as mães com seus filhos, os aposentados jogando baralho no final da orla. Tinha vindo ao Rio de Janeiro, conhecera um restaurante de primeiríssima classe, um consulado, um estrangeiro, um empresário, ganhara de presente um vestido e um par de sapatos que ninguém — absolutamente ninguém — em sua terra poderia comprar.

E agora?

Olhou para o outro lado do mar: suas lições de geografia afirmavam que, se seguisse em linha reta, iria chegar à África, com seus leões e suas selvas cheias de gorilas. Entretanto, se andasse um pouco para o norte, terminaria colocando os pés no reino encantado da Europa, onde existiam a Torre Eiffel, a Disneylândia europeia e a torre inclinada de Pisa. O que tinha a perder? Como qualquer brasileira, aprendera a sambar antes mesmo de dizer "mamãe"; poderia voltar se não gostasse, e já aprendera que as oportunidades são feitas para serem aproveitadas.

Passara grande parte do tempo dizendo "não" a coisas a que gostaria de dizer "sim", decidida a viver apenas as experiências que sabia controlar — como certas aventuras com homens, por exemplo. Agora estava diante do desconhecido, tão desconhecido como este mar fora uma vez para os navegadores que o cruzavam, assim lhe haviam ensinado nas aulas de história. Podia dizer sempre "não", mas será que iria passar o resto da vida se lamentando, como ainda fazia com a imagem do menino que uma vez lhe pedira um lápis e desaparecera com seu primeiro amor? Sempre poderia dizer "não", mas por que desta vez não ensaiar um "sim"?

Por uma razão muito simples: era uma moça do interior, sem qualquer experiência na vida além de um bom colégio, uma grande cultura de novelas de televisão e a certeza de que era bela. Isso não bastava para enfrentar o mundo.

Viu um grupo de pessoas rindo e olhando o mar, com

medo de se aproximar. Dois dias antes, ela sentira a mesma coisa, mas agora não tinha medo, entrava na água sempre que desejava, como se tivesse nascido ali. Será que não iria acontecer a mesma coisa na Europa?

Fez uma prece silenciosa, pediu de novo os conselhos da Virgem Maria, e segundos depois parecia à vontade com sua decisão de seguir adiante, porque se sentia protegida. Sempre poderia voltar, mas nem sempre teria a chance de ir tão longe. Valia a pena correr o risco, desde que o sonho conseguisse resistir às quarenta e oito horas de volta no ônibus sem ar refrigerado, e desde que o suíço não mudasse de ideia.

Estava tão animada que, quando ele a convidou para jantar novamente, quis ensaiar um ar sensual e pegou na mão dele, mas o homem logo a retirou. Maria entendeu — com certo medo, e com certo alívio — que ele realmente estava falando sério.

— Estrela samba! — dizia o homem. — Linda estrela samba brasileiro! Viagem semana próxima!

Tudo era uma maravilha, mas "viagem semana próxima" estava absolutamente fora de cogitação. Maria explicou que não podia tomar uma decisão sem consultar a família. O suíço, furioso, mostrou uma cópia do documento assinado, e pela primeira vez ela sentiu medo.

— Contrato! — disse ele.

Mesmo decidida a viajar, resolveu consultar Maílson, seu empresário — afinal de contas, ele estava sendo pago para assessorá-la.

Maílson, entretanto, agora parecia mais preocupado em seduzir uma turista alemã que acabara de chegar ao hotel e estava fazendo topless na areia, certa de que o Brasil é o país mais liberal do mundo (sem se dar conta de que era a única pessoa a ter os seios expostos e que todos os demais a olhavam com certo desconforto). Foi uma dificuldade conseguir que prestasse atenção no que estava dizendo.

— E se eu mudar de ideia? — insistia Maria.

— Não sei o que está escrito no contrato, mas talvez ele mande prendê-la.

— Não irá me achar nunca!

— Tem razão. Portanto, não se preocupe.

O suíço, porém, que já gastara quinhentos dólares, um par de sapatos, um vestido, dois jantares e as despesas da documentação no consulado, estava começando a ficar preocupado, de modo que, já que Maria insistia na necessidade de falar com a família, resolveu comprar duas passagens de avião e acompanhá-la até o lugar onde ela nascera — desde que tudo se resolvesse em quarenta e oito horas e pudessem viajar na próxima semana, conforme o combinado. Com sorrisos para cá, sorrisos para lá, ela começava a entender que isso constava do documento, e que não se deve brincar muito com a sedução, os sentimentos e os contratos.

Foi uma surpresa, e um orgulho para a pequena cidade, ver sua bela filha Maria chegar acompanhada de um estrangeiro, que desejava convidá-la para ser uma grande estrela na Europa. Toda a vizinhança soube, e as amigas de colégio perguntavam: "Mas como foi?".

"Eu tenho sorte."

Elas queriam saber se isso sempre acontecia no Rio de Janeiro, porque tinham visto na televisão novelas com episódios semelhantes. Maria não disse sim nem não, para valorizar sua experiência e convencer as amigas de que ela era uma pessoa especial.

Foram até sua casa, onde o homem mostrou de novo os folhetos, o Brazil (com z), o contrato, enquanto Maria explicava que agora tinha um empresário e pretendia seguir uma carreira artística. A mãe, olhando o tamanho do biquíni das moças nas fotos que o estrangeiro lhe apresentava, devolveu-as imediatamente e não quis fazer perguntas — tudo que lhe importava é que sua filha fosse feliz e rica, ou infeliz — mas rica.

— Como é o nome dele?

— Roger.

— Rogério! Eu tinha um primo com esse nome!

O homem sorriu, bateu palmas, e todos se deram conta de que ele não tinha entendido a pergunta. O pai comentou com Maria:

— Mas ele tem a minha idade.

A mãe pediu que ele não interferisse na felicidade da filha. Como todas as costureiras conversam muito com suas clientes, e terminam ganhando uma grande experiência em matéria de casamento e amor, ela aconselhou:

— Minha querida, melhor ser infeliz com um homem rico que ser feliz com um pobretão, e lá longe você tem muito mais chance de ser uma rica infeliz. Além do mais, se nada der certo, você toma um ônibus e volta para casa.

Maria, uma moça do interior, mas com uma inteligência maior do que sua mãe ou seu futuro marido imaginavam, comentou, apenas para provocar:

— Mamãe, não existe ônibus da Europa para o Brasil. Além do mais, quero ter uma carreira artística, não estou procurando casamento.

A mãe olhou para a filha com um ar quase desesperado:

— Se dá para você chegar lá, também dá para sair. A carreira artística é muita boa para moças jovens, mas só dura enquanto você for bela, e isso termina mais ou menos aos trinta anos. Portanto aproveite, encontre alguém que seja honesto, apaixonado e, por favor, se case. Não precisa pensar muito em amor — no início eu não amava seu pai, mas o dinheiro compra tudo, até amor verdadeiro. E olha que seu pai nem rico é!

Era um péssimo conselho de amiga, mas um excelente conselho de mãe. Quarenta e oito horas depois Maria estava de volta ao Rio, não sem antes ter passado — sozinha — pelo seu antigo emprego, pedido demissão e escutado do dono da loja de tecidos:

— Soube que um grande empresário francês resolveu levá-la para Paris. Não posso impedi-la de perseguir sua felicidade, mas quero que, antes de ir embora, saiba de uma coisa.

Tirou do bolso um cordão com uma medalha.

— Trata-se da Medalha Milagrosa de Nossa Senhora das Graças. Sua igreja fica em Paris; vá até lá e peça proteção a ela. Veja o que está escrito aqui.

Maria viu que, em torno da Virgem, havia algumas

palavras: "Ó Maria, concebida sem pecado, rogai por nós, que recorremos a Vós. Amém".

— Não deixe de dizer esta frase pelo menos uma vez por dia. E...

Ele hesitou, mas agora era tarde.

— ... se algum dia você voltar, saiba que a estarei esperando. Perdi a oportunidade de dizer uma coisa tão simples: "Eu te amo". Talvez seja tarde, mas gostaria que soubesse disso.

"Perder a oportunidade", ela havia aprendido muito cedo o que isso significava. "Eu te amo", porém, era uma frase que havia escutado muitas vezes ao longo de seus vinte e dois anos e parecia já não ter mais nenhum sentido — porque nunca resultara em algo sério, profundo, que se traduzisse em uma relação duradoura. Maria agradeceu as palavras, anotou-as no subconsciente (nunca se sabe o que a vida nos preparou, e é sempre bom saber onde se encontra a saída de emergência), deu um beijo casto no rosto do patrão e partiu sem olhar para trás.

Voltaram para o Rio, e em apenas um dia ela conseguiu seu passaporte (o Brasil realmente havia mudado, comentara Roger com algumas palavras em português e muitos sinais, que Maria traduziu como "antigamente demorava muito"). Aos poucos, com a ajuda de Maílson, o segurança/intérprete/empresário, as providências restantes foram tomadas (roupas, sapatos, maquiagem, tudo que uma mulher como ela podia sonhar). Roger a viu dançar em uma boate que visitaram na véspera da viagem para a Europa e ficou entusiasmado com sua escolha — realmente estava diante de uma grande estrela para o cabaré Cologny, a bela morena de olhos claros e cabelos negros como as asas da graúna. A certidão de trabalho do consulado suíço ficou pronta, fizeram as malas e, no dia seguinte, estavam viajando para a terra do chocolate, do relógio e do queijo, com Maria secretamente planejando fazer aquele homem apaixonar-se por ela — afinal de contas ele não era tão velho, nem feio, nem pobre. Que mais desejar?

Chegou exausta e, ainda no aeroporto, seu coração se apertou de medo: descobriu que estava completamente dependente do homem ao seu lado — não conhecia a terra, a língua, o frio. O comportamento de Roger ia mudando à medida que as horas se passavam; já não procurava ser agradável e, embora jamais tentasse beijá-la ou tocar seus seios, seu olhar tinha se tornado o mais distante possível. Instalou-a em um pequeno hotel, apresentando-a a outra brasileira, uma mulher jovem e triste chamada Vivian, que se encarregaria de prepará-la para o trabalho.

Vivian a olhou de cima a baixo, sem a menor cerimônia ou o menor carinho por quem estava tendo sua primeira experiência no exterior. Em vez de perguntar como se sentia, foi direto ao assunto:

— Não tenha ilusões. Ele vai ao Brasil sempre que alguma de suas dançarinas se casa, e pelo visto isso está acontecendo com muita frequência. Ele sabe o que quer, e acredito que você também saiba: deve ter vindo em busca de uma das três coisas: aventura, dinheiro ou marido.

Como é que ela podia imaginar? Será que todo mundo buscava a mesma coisa? Ou será que Vivian podia ler os pensamentos alheios?

— Todas as meninas aqui buscam uma dessas três coisas — continuou Vivian, e Maria convenceu-se de que ela estava lendo seu pensamento. — Quanto à aventura, está muito frio para qualquer coisa, e além do mais o dinheiro não sobra para viagens. Quanto ao dinheiro, você terá que trabalhar quase um ano para pagar sua passagem de volta, além dos descontos da hospedagem e da comida.

— Mas...

— Já sei: não foi esse o combinado. Na verdade, foi você quem se esqueceu de perguntar, como, aliás, acontece com todas. Se tivesse mais cuidado, se lesse o contrato que assinou, saberia exatamente onde se meteu — porque os suíços não mentem, embora usem o silêncio para ajudar a si mesmos.

O chão fugia dos pés de Maria.

— Finalmente, quanto ao marido, cada menina que se casa significa um grande prejuízo financeiro para Roger, de modo que estamos proibidas de conversar com os clientes. Se quiser alguma coisa nesse sentido, terá que correr grandes riscos. Isto aqui não é um lugar onde as pessoas se encontram, como na Rue de Berne.

Rue de Berne?

— Os homens vêm aqui com suas mulheres, e os poucos turistas, assim que se dão conta do ambiente familiar, vão em busca de mulheres em outros lugares. Saiba dançar; se souber também cantar, seu salário será aumentado, e a inveja das outras também, de modo que sugiro que não tente cantar. Sobretudo, não use o telefone. Vai gastar tudo o que ainda tem por ganhar, e que será muito pouco.

— Mas ele me prometeu quinhentos dólares por semana!

— Você verá.

* * *

DO DIÁRIO DE MARIA, em sua segunda semana na Suíça:

Fui até a boate, encontrei um "diretor de danças" de um país chamado Marrocos e tive que aprender cada passo daquilo que ele — que jamais pisou no Brasil — acredita ser "samba". Não tive nem tempo de descansar da longa viagem de avião, era sorrir e dançar — logo na primeira noite. Somos seis meninas, nenhuma delas está feliz e nenhuma sabe o que está fazendo aqui. Os clientes bebem e batem palmas, jogam beijos e fazem gestos pornográficos escondidos, mas não passa disso.

O salário foi pago ontem, apenas um décimo do que havíamos combinado — o restante, segundo o tal contrato, será usado para pagar minha passagem e minha estada. Pelos cálculos de Vivian, isso deve demorar um ano — ou seja, durante este período não tenho para onde fugir.

Mas será que vale a pena fugir? Acabei de chegar, ainda não conheço nada. Qual o problema de dançar durante sete noites por semana? Antes eu fazia isso por prazer, agora faço por dinheiro e fama; as pernas não reclamam, a única coisa difícil é manter o sorriso nos lábios.

Posso escolher entre ser uma vítima do mundo ou uma aventureira em busca do seu tesouro. Tudo é uma questão de como vou olhar minha vida.

Maria escolheu ser uma aventureira em busca do tesouro — deixou de lado os seus sentimentos, parou de chorar toda noite, esqueceu-se de quem era; descobriu que tinha força de vontade suficiente para fingir que tinha acabado de nascer, e portanto não precisava sentir saudades de ninguém. Os sentimentos podiam esperar, agora era preciso ganhar dinheiro, conhecer o país e voltar vitoriosa para sua terra.

De resto, tudo à sua volta parecia o Brasil em geral e sua cidade em particular: as mulheres falavam português, queixavam-se dos homens, conversavam alto, reclamavam dos horários, chegavam atrasadas na boate, desafiavam o patrão, achavam-se as mais belas do mundo e contavam histórias dos seus príncipes encantados — que geralmente estavam muito longe, ou eram casados, ou não tinham dinheiro e viviam do trabalho delas. O ambiente, ao contrário do que tinha imaginado ao ver os folhetos de propaganda que Roger trazia consigo, era exatamente como Vivian descrevera: familiar. As meninas não podiam aceitar convites nem sair com fregueses, porque estavam registradas como "dançarinas de samba" nas respectivas carteiras de trabalho. Se fossem flagradas recebendo um papel com telefone, ficavam quinze dias sem trabalhar. Maria, que esperava algo muito mais movimentado e emocionante, foi aos poucos se deixando dominar pela tristeza e pelo tédio.

Nos primeiros quinze dias, ela pouco deixou a pensão onde morava — principalmente quando descobriu que ninguém falava sua língua, mesmo que ela pronunciasse DE-VA-GAR cada frase. Também ficou surpresa ao saber que, ao contrário do que acontecia em seu país, a cidade onde estava agora tinha dois nomes diferentes — Genève para os que viviam ali e Genebra para as brasileiras.

Finalmente, durante as longas horas de tédio em seu pequeno quarto sem televisão, ela concluiu:

a) Nunca chegaria a encontrar o que estava procurando, se não soubesse dizer o que pensava. Para isso, precisava aprender a língua local.

b) Como todas as suas companheiras estavam também procurando a mesma coisa, ela precisava ser diferente. Para isso ainda não tinha uma solução ou um método.

* * *

DO DIÁRIO DE MARIA, quatro semanas depois de desembarcar em Genève/Genebra:

Já estou aqui há uma eternidade, não falo a língua, passo o dia escutando música no rádio, olhando o quarto, pensando no Brasil, torcendo para que chegue a hora de trabalhar e — quando estou trabalhando — torcendo para que chegue a hora de voltar para a pensão. Ou seja, estou vivendo o futuro em vez do presente.

Um dia, num futuro remoto, terei minha passagem. Posso voltar para o Brasil, casar-me com o dono da loja de tecidos, escutar os comentários maldosos das amigas que nunca arriscaram e por isso só conseguem enxergar a derrota dos outros. Não, não posso voltar assim. Prefiro atirar-me do avião quando ele estiver cruzando o oceano.

Como as janelas do avião não abrem (aliás, isso foi algo que nunca esperei; que pena não poder sentir o ar puro!), morro aqui mesmo. Mas, antes de morrer, quero lutar pela vida. Se eu puder andar sozinha, vou até onde quero.

No dia seguinte matriculou-se em um curso matutino de francês, onde conheceu gente de todos os credos, raças e idades, homens com roupas coloridas e muitas correntes de ouro nos braços, mulheres sempre com um véu na cabeça, crianças que aprendiam mais rápido que os adultos — quando justamente devia ser o contrário, pois os adultos têm mais experiência. Ficava orgulhosa em saber que todos conheciam seu país, o carnaval, o samba, o futebol e a pessoa mais famosa do mundo, chamada Pelé. No início ela quis ser simpática e procurou corrigir a pronúncia (é Pelé! Pelééé!!!), mas depois de algum tempo desistiu, já que também a chamavam de Mariá, essa mania que os estrangeiros têm de mudar todos os nomes e ainda achar que estão certos.

Durante a tarde, para praticar o idioma, ensaiou seus primeiros passos por aquela cidade de dois nomes, descobriu um chocolate delicioso, um queijo que jamais havia comido, um gigantesco chafariz no meio do lago, a neve que os pés de nenhum dos habitantes de sua cidade tinha tocado, as cegonhas, os restaurantes com lareira (embora jamais tenha entrado em algum, via o fogo lá dentro, e aquilo lhe dava uma agradável sensação de bem-estar). Também ficou surpresa ao descobrir que nem todos os letreiros tinham propaganda de relógios: havia também bancos — embora não conseguisse entender por que existiam tantos bancos para tão poucos habitantes, e pudesse reparar que raramente via alguém no interior das agências, mas resolveu não perguntar nada.

Depois de três meses de autocontrole no trabalho, seu sangue brasileiro — sensual e sexual, como todos no mundo acreditavam — falou mais alto: ela se apaixonou por um árabe que estudava francês no mesmo curso. O caso durou três semanas, até que, uma noite, ela resolveu deixar tudo de lado e visitar uma montanha perto de Genève. Quando chegou ao trabalho, na tarde seguinte, Roger mandou que fosse ao seu escritório.

Assim que abriu a porta, foi sumariamente demitida, por dar mau exemplo às outras meninas que ali trabalhavam. Roger, histérico, disse que mais uma vez se decepcionava, que as mulheres brasileiras não eram confiáveis (ah, meu Deus, esta mania de generalizar tudo). De nada adiantou afirmar que tudo não passara de uma febre muito alta por causa da diferença de temperatura; o homem não se convenceu, e ainda reclamou que precisava voltar ao Brasil para arranjar uma substituta, e que melhor teria sido fazer um show com música e bailarinas iugoslavas, que eram muito mais bonitas e mais responsáveis.

Maria, embora ainda jovem, não tinha nada de boba, principalmente depois que seu amante árabe lhe dissera que na Suíça as leis trabalhistas são muito severas e que ela podia alegar que estava sendo usada para trabalho escravo, já que a boate ficava com grande parte do seu salário.

Voltou ao escritório de Roger, desta vez falando um francês razoável, que incluía em seu vocabulário a palavra "advogado". Saiu dali com alguns xingamentos e cinco mil dólares de indenização — um dinheiro com que jamais havia sonhado, tudo por causa daquela palavra mágica, "advogado". Agora podia namorar livremente o árabe, comprar alguns presentes, tirar umas fotos na neve e voltar para casa com a vitória tão sonhada.

A primeira coisa que fez foi telefonar para uma vizinha da mãe e dizer que estava feliz, tinha uma linda carreira diante de si e ninguém em sua casa precisava ficar preocupado. Em seguida, como tinha um prazo para deixar o quarto de pensão que Roger lhe havia alugado, faltava apenas ir até o árabe, fazer juras de amor eterno, converter-se à sua religião, casar-se com ele — mesmo sendo obrigada a usar um daqueles lenços estranhos na cabeça; afinal de contas, todos ali sabiam que os árabes eram muito ricos, e isso bastava.

Mas o árabe, àquela altura, já estava longe — possivelmente na Arábia, um país que Maria não conhecia — e no fundo ela deu graças à Virgem Maria, porque não fora obrigada a trair sua religião. Agora, já falando francês o suficiente, com dinheiro para a passagem de volta, carteira de trabalho que a classificava como "dançarina de samba", um visto de permanência que ainda tinha validade, e sabendo que, em último caso, podia casar-se com um comerciante de tecidos, Maria resolveu fazer o que sabia que era capaz: ganhar dinheiro com sua beleza.

Ainda no Brasil, lera um livro sobre um pastor que, na busca de seu tesouro, depara com várias dificuldades que o ajudam a conseguir o que deseja. Era exatamente esse o seu caso. Tinha agora plena consciência de que fora despedida para encontrar-se com o seu verdadeiro destino: modelo e manequim.

Alugou um pequeno quarto (onde não havia televisão, mas era preciso economizar o máximo, até que conseguisse realmente ganhar muito dinheiro) e no dia seguinte começou a visitar agências. Em todas soube que precisava deixar fotos profissionais, mas, afinal de contas, era um investimento em sua carreira — todo sonho custa caro. Gastou uma parte considerável do dinheiro com um excelente fotógrafo, que conversava pouco e exigia muito: tinha um gigantesco guarda-roupa no estúdio, e ela posou com vestidos sóbrios, extravagantes e até mesmo com um biquíni do qual seu único conhecido no Rio de Janeiro, o segurança/intérprete e ex-empresário Maílson, iria morrer de orgulho. Pediu uma série de cópias extras, escreveu uma carta dizendo como estava feliz na Suíça e enviou-a para a família. Iam achar que estava rica, com um guarda-roupa invejável, e que havia se transformado na filha mais ilustre de sua pequena cidade. Se tudo desse certo como pensava (e já havia lido muitos livros de "pensamento positivo" e não tinha a menor dúvida de sua vitória), seria recebida com banda de música na volta, e daria um jeito de convencer o prefeito a inaugurar uma praça com o seu nome.

Comprou um telefone móvel, daqueles que utilizam cartão pré-pago (já que não tinha domicílio fixo), e, nos dias que se seguiram, ficou aguardando as chamadas para trabalho. Comia em restaurantes chineses (os mais baratos) e, para passar o tempo, estudava como uma louca.

Mas o tempo custava a passar, e o telefone não tocava. Para sua surpresa, ninguém mexia com ela quando passeava à beira do lago, exceto alguns traficantes de drogas que ficavam sempre no mesmo lugar, debaixo de uma das pontes que uniam o belo jardim antigo à parte mais nova da cidade. Começou a duvidar de sua beleza, até o dia em que uma das ex-companheiras de trabalho, com quem se encontrara por acaso em um café, disse que a culpa não era dela, mas dos suíços, que não gostam de incomodar ninguém, e dos estrangeiros, que têm medo de serem presos por "assédio sexual" — algo que tinham inventado para fazer as mulheres de todo o mundo se sentirem péssimas.

* * *

DO DIÁRIO DE MARIA, uma noite em que não tinha coragem de sair, de viver, de continuar esperando o telefonema que não vinha:

Hoje passei diante de um parque de diversões. Como não posso ficar gastando dinheiro à toa, achei melhor observar as pessoas. Fiquei muito tempo parada diante da montanha-russa: via que a maioria das pessoas entravam ali em busca de emoção, mas, quando começavam a andar, morriam de medo e pediam que parassem os carros.

O que elas querem? Se escolheram a aventura, não deviam estar preparadas para ir até o final? Ou acham que seria mais inteligente não passar por este sobe e desce e ficar o tempo todo em um carrossel, girando no mesmo lugar?

No momento estou sozinha demais para pensar em amor, mas preciso me convencer de que isso vai passar, conseguirei meu emprego e estou aqui porque escolhi este destino. A montanha-russa é a minha vida, a vida é um jogo forte e alucinante, a vida é lançar-se de paraquedas, é arriscar-se, cair e voltar a levantar-se, é alpinismo, é querer subir ao topo de si mesmo, é ficar insatisfeita e angustiada quando não se consegue.

Não é fácil estar longe da minha família, da língua na qual posso expressar todas as minhas emoções e sentimentos, mas a partir de hoje, quando ficar deprimida, vou me lembrar daquele parque de diversões. Se eu tivesse dormido e acordado de repente em uma montanha-russa, o que iria sentir?

Bem, a primeira sensação é a de estar prisioneira, ficar apavorada com as curvas, querer vomitar e sair dali. Entretanto, se confiar que os trilhos são o meu destino, que Deus está governando a máquina, este pesadelo se transforma em excitação. Ela passa a ser exatamente o que é, uma montanha-russa, um brinquedo seguro e confiável que vai chegar ao final, mas no qual, enquanto dura a viagem, preciso olhar a paisagem ao redor, gritar de excitação.

Mesmo sendo capaz de escrever coisas que julgava muito sábias, ela não conseguia seguir seus próprios conselhos. Os momentos de depressão ficaram cada vez mais frequentes, e o telefone continuava sem tocar. Maria, para distrair-se e exercitar o idioma francês nas horas vagas, começou a comprar revistas de artistas famosos, mas logo descobriu que gastava muito dinheiro com isso e foi procurar a biblioteca mais próxima. A senhora encarregada de emprestar livros disse que ali não alugavam revistas, mas podia lhe sugerir alguns títulos que a ajudariam a dominar cada vez mais o francês.

— Não tenho tempo para ler livros.

— Como não tem tempo? O que está fazendo?

— Muitas coisas: estudando francês, escrevendo um diário e...

— E o quê?

Ia dizendo "esperando que o telefone toque", mas achou melhor ficar calada.

— Minha filha, você é jovem, tem a vida pela frente. Leia. Esqueça o que lhe disseram sobre livros, e leia.

— Já li muito.

De repente, Maria lembrou-se daquilo que o segurança Maílson descrevera certa vez como "energia". A bibliotecária à sua frente parecia alguém sensível, doce, alguém que poderia ajudar se tudo o mais falhasse. Precisava conquistá-la, sua intuição dizia que ali podia estar uma possível amiga. Rapidamente mudou de opinião:

— Mas quero ler mais. Por favor, me ajude a escolher os livros.

A mulher trouxe *O pequeno príncipe*. Naquela noite, ela começou a folheá-lo. Viu os desenhos do início, onde aparecia um chapéu — mas o autor dizia que na verdade, para as crianças, aquilo era uma cobra com um elefante dentro do corpo. "Acho que nunca fui criança", pensou consigo mesma. "Para mim, isso parece mais um chapéu." Na ausência da televisão, ela começou a acompanhar o principezinho em suas viagens, embora ficasse triste sempre que vinha à tona o tema "amor" — havia proibido a si mesma de pensar no assunto, pois isso poderia levá-la ao suicídio. Fora as dolorosas cenas românticas entre um príncipe, uma raposa e uma rosa, o livro era muito interessante, e ela não ficou a cada cinco minutos verificando se a bateria do celular estava carregada (morria de medo de que sua chance maior passasse por causa de um descuido).

Maria passou a frequentar a biblioteca, conversar com a mulher que parecia tão sozinha como ela, pedir sugestões, comentar sobre a vida e os autores — até que seu dinheiro chegou quase ao fim; mais duas semanas e já não teria o suficiente para comprar a passagem de volta.

E, como a vida sempre espera situações críticas para então mostrar seu lado brilhante, finalmente o telefone tocou.

Três meses depois de ter descoberto a palavra "advogado", e dois meses depois de estar vivendo da indenização recebida, uma agência de modelos perguntou se a Sra. Maria ainda se encontrava naquele número. A resposta foi um "sim" frio, ensaiado durante muito tempo, para não demonstrar nenhuma ansiedade. Soube então que um árabe, profissional da moda em seu país, gostara muito de suas fotos e queria convidá-la para participar de um desfile. Maria lembrou-se da decepção recente, mas também do dinheiro de que precisava desesperadamente.

Marcaram o encontro em um restaurante muito chique. Encontrou um senhor elegante, mais encantador e maduro que o de sua experiência anterior, que perguntava:

— Sabe de quem é aquele quadro ali? De Joan Miró. Sabe quem é Joan Miró?

Maria se mantinha calada, como se estivesse concentrada na comida, bastante diferente da que serviam nos restaurantes chineses. Por outro lado, fazia anotações mentais: devia pedir um livro sobre Miró em sua próxima visita à biblioteca.

Mas o árabe insistia:

— Aquela mesa ali era a preferida de Federico Fellini. O que você acha dos filmes de Fellini?

Ela respondeu que adorava. O árabe quis entrar em detalhes e Maria, percebendo que sua cultura não passaria pelo teste, resolveu ir direto ao assunto:

— Não vou ficar aqui representando para o senhor. Tudo o que sei é a diferença entre uma Coca-Cola e uma Pepsi. O senhor não deseja conversar sobre um desfile de modas?

A franqueza da moça pareceu impressioná-lo bem.

— Faremos isso quando formos tomar um drinque, depois do jantar.

Houve uma pausa, enquanto os dois se olhavam e imaginavam o que o outro estava pensando.

— Você é muito bonita — insistiu o árabe. — Se resolver tomar um drinque comigo em meu hotel, lhe dou mil francos.

Maria imediatamente entendeu. Era culpa da agência de modelos? Era culpa sua, que devia ter perguntado melhor a respeito do jantar? Não era culpa da agência, nem dela, nem do árabe: era assim mesmo que as coisas funcionavam. De repente, sentiu que precisava do sertão, do Brasil, do colo de sua mãe. Lembrou-se do aviso de Maílson, na praia, quando ele falara em trezentos dólares; naquela época julgara engraçado, acima do que esperava receber por uma noite com um homem. Entretanto, naquele momento, deu-se conta de que não tinha mais ninguém, absolutamente ninguém no mundo com quem pudesse conversar; estava sozinha, em uma cidade estranha, com vinte e dois anos relativamente bem vividos, mas inúteis para ajudá-la a resolver qual seria a melhor resposta.

— Sirva-me mais vinho, por favor.

O árabe serviu mais vinho em seu copo, enquanto o pensamento viajava mais rápido que o Pequeno Príncipe em seu passeio por diversos planetas. Viera em busca de aventura, dinheiro e talvez um marido, sabia que ia terminar recebendo propostas como essa, porque não era inocente e já se acostumara com o comportamento dos homens. Mas ainda acreditava em agências de modelos, estrelato, um marido rico, família, filhos, netos, roupas, retorno vitorioso à cidade onde nascera. Sonhava em superar todas as dificuldades apenas com sua inteligência, seu charme, sua força de vontade.

A realidade acabara de desabar em sua cabeça. Para surpresa do árabe, ela começou a chorar. O homem, dividido entre o medo do escândalo e o instinto masculino de proteger a moça, não sabia o que fazer. Fez sinal para o garçom a fim de pedir logo a conta, mas Maria o interrompeu:

— Não faça isso. Sirva-me mais vinho e deixe-me chorar um pouco.

E Maria pensou no menino que lhe pedira um lápis, no rapaz que a beijara de boca fechada, na alegria de conhecer o Rio de Janeiro, nos homens que a tinham usado sem dar nada em troca, nas paixões e nos amores perdidos ao longo de toda a sua caminhada. Sua vida, apesar da aparente liberdade, era um sem-fim de horas à espera de um milagre, um amor verdadeiro, uma aventura com o mesmo final romântico que sempre vira nos filmes e lera nos livros. Um autor escrevera que o tempo não transforma o homem, a sabedoria também não o transforma — a única coisa que pode fazer alguém mudar de ideia é o amor. Que tolice! Quem escreveu aquilo conhecia apenas um lado da moeda.

Realmente, o amor era a primeira coisa capaz de mudar totalmente a vida de uma pessoa de um momento para outro. Mas existia o outro lado da moeda, a segunda coisa que fazia o ser humano tomar um curso totalmente distinto daquele que havia planejado: chamava-se desespero. Sim, talvez o amor fosse capaz de transformar alguém; o desespero, no entanto, transforma mais rápido. E agora, Maria? Devia sair correndo, voltar para o Brasil, transformar-se em professora de francês, casar com o dono da loja de tecidos? Devia ir um pouco mais adiante, uma só noite, em uma cidade em que não conhecia ninguém e ninguém a conhecia? Será que uma só noite, e o dinheiro tão fácil, a fariam continuar seguindo adiante, até um ponto do caminho de onde não poderia mais voltar? O que estava acontecendo naquele minuto: uma grande oportunidade, ou um teste da Virgem Maria?

Os olhos do árabe passeavam pelo quadro de Joan Miró, pelo lugar onde Fellini comia, pela moça que guardava os casacos, pelos clientes que entravam e os que saíam.

— Você não sabia?

— Mais vinho, por favor — foi a resposta de Maria, ainda entre lágrimas.

Rezava para que o garçom não se aproximasse e descobrisse o que estava acontecendo — e o garçom, que assistia a tudo a distância, com o rabo do olho, rezava para que o homem com a garota pagasse logo a conta, porque o restaurante estava repleto e havia gente esperando.

Finalmente, depois do que pareceu ser uma eternidade, ela falou:

— Você disse um drinque por mil francos?

A própria Maria estranhou o tom de sua voz.

— Sim — respondeu o árabe, já arrependido de ter feito a proposta. — Mas eu não quero de maneira nenhuma...

— Pague a conta. Vamos tomar esse drinque no seu hotel.

De novo, parecia uma estranha para si mesma. Até então fora uma moça gentil, educada, alegre, e jamais teria usado esse tom de voz com um estranho. Mas parecia que aquela moça havia morrido para sempre: diante dela estava uma outra existência, na qual os drinques custavam mil francos, ou, em uma moeda mais universal, em torno de seiscentos dólares.

E tudo ocorreu exatamente conforme o esperado: foi para o hotel com o árabe, bebeu champanhe, embriagou-se quase que completamente, abriu as pernas, esperou que ele tivesse um orgasmo (não lhe ocorreu fingir que também houvesse tido um), lavou-se no banheiro de mármore, pegou o dinheiro e deu-se ao luxo de pagar um táxi até em casa.

Atirou-se na cama e dormiu uma noite sem sonhos.

* * *

DO DIÁRIO DE MARIA, no dia seguinte:

Lembro-me de tudo, menos do momento em que tomei a decisão. Curiosamente, não tenho nenhum sentimento de culpa. Antes costumava ver as meninas que iam para a cama por dinheiro como gente a quem a vida não tinha deixado nenhuma escolha — e agora vejo que não é assim. Eu podia dizer "sim" ou "não", ninguém estava me forçando a aceitar nada.

Ando pelas ruas, olho as pessoas, será que elas escolheram suas próprias vidas? Ou será que elas também, como eu, foram "escolhidas" pelo destino? A dona de casa que sonhava em ser modelo, o executivo de banco que pensou em ser músico, o dentista que escrevera um livro escondido e gostaria de dedicar-se à literatura, a menina que adoraria trabalhar na televisão, mas só encontrou um emprego de caixa de supermercado.

Não tenho a menor pena de mim mesma. Continuo não sendo uma vítima, porque podia ter saído do restaurante, com a minha dignidade intacta e a minha carteira vazia. Podia ter dado lições de moral àquele homem à minha frente ou tentado fazê-lo ver que diante de seus olhos estava uma princesa, que era melhor conquistá-la do que comprá-la. Podia ter tomado um sem-número de atitudes, entretanto — como a maioria dos seres humanos — deixei que o destino escolhesse que rumo tomar.

Não sou a única, embora o meu destino pareça mais ilegal e marginal que o dos outros. Mas, na busca da felicidade, estamos todos empatados: o executivo/músico, o dentista/escritor, a caixa/atriz, a dona de casa/modelo, nenhum de nós é feliz.

Então é isso? Era fácil assim? Estava em uma cidade estranha, não conhecia ninguém, o que ontem era um suplício hoje lhe dava uma imensa sensação de liberdade, não precisava dar explicações a ninguém.

Resolveu que, pela primeira vez em muitos anos, ia dedicar o dia inteiro a pensar em si mesma. Até então vivera sempre preocupada com os outros: a mãe, os colegas de escola, o pai, os funcionários da agência de modelos, o professor de francês, o garçom, a bibliotecária, o que as pessoas na rua — que nunca tinha visto antes — estavam pensando. Na verdade, ninguém estava pensando em nada, muito menos nela, uma pobre estrangeira de quem, se desaparecesse amanhã, nem a polícia daria pela falta.

Bastava. Saiu cedo, tomou o café da manhã no lugar de sempre, caminhou um pouco em torno do lago, viu uma manifestação de exilados. Uma mulher, com um pequeno cachorro, comentou que eram curdos, e Maria, como sempre, em vez de fingir que sabia a resposta para mostrar que era mais culta e inteligente do que pensavam, perguntou:

— De onde vêm os curdos?

A mulher, para sua surpresa, não soube responder. É assim o mundo: falam como se conhecessem tudo e, se você ousa perguntar, não sabem nada. Entrou em um cibercafé e descobriu na internet que os curdos vinham do Curdistão, um país inexistente, hoje dividido entre a Turquia e o Iraque. Voltou para o lugar onde estivera, tentando encontrar a mulher com o cachorro — mas ela já havia partido, talvez porque o animal não suportasse ficar meia hora vendo um bando de seres humanos com faixas, lenços, músicas e gritos estranhos.

"Esta sou eu. Ou melhor, essa era eu: uma pessoa que fingia saber tudo, escondida em meu silêncio, até que aquele árabe me irritou tanto que tive coragem de dizer que só sabia a diferença entre refrigerantes. Ele ficou chocado? Mudou de ideia a meu respeito? Nada! Deve ter achado fantástica a minha espontaneidade. Sempre saí perdendo quando quis parecer mais esperta do que sou: chega!"

Lembrou-se da agência de modelos. Será que sabiam o que queria o árabe — e neste caso mais uma vez Maria tinha bancado a ingênua — ou tinham realmente pensado que ele era capaz de arranjar-lhe um trabalho em seu país?

Fosse o que fosse, Maria se sentia menos só naquela manhã cinzenta de Genève, com a temperatura quase chegando a zero, os curdos se manifestando, os bondes chegando no horário em cada parada, as lojas recolocando joias nas vitrines, os bancos abrindo, os mendigos dormindo, os suíços indo para o trabalho. Estava menos só porque ao seu lado havia uma outra mulher, talvez invisível para os que passavam. Jamais tinha notado sua presença, mas ela estava ali.

Sorriu para a mulher invisível ao seu lado, que se parecia com a Virgem Maria, a mãe de Jesus. A mulher sorriu de volta, disse que tomasse cuidado, pois as coisas não eram tão simples como estava pensando. Maria não deu importância ao conselho, respondeu que era uma pessoa adulta, responsável por suas decisões, e não podia acreditar que havia uma conspiração cósmica contra ela. Aprendera que existe gente disposta a pagar mil francos suíços por uma noite, por meia hora entre suas pernas, e tudo que precisaria decidir, nos próximos dias, era se pegava os mil francos suíços que agora tinha em casa, comprava uma passagem de avião e voltava para a cidade onde nascera. Ou se ficava mais um pouco, o suficiente para comprar uma casa para os pais, belos vestidos e passagens para lugares que sonhara visitar um dia.

A mulher invisível ao seu lado tornou a insistir que as coisas não eram tão simples assim, mas Maria, embora contente com a companhia inesperada, pediu que não interrompesse seus pensamentos, precisava tomar decisões importantes.

Voltou a analisar, desta vez com mais cuidado, a possibilidade de retornar ao Brasil. Suas amigas de colégio, que nunca tinham saído dali, iriam logo comentar que fora mandada embora do emprego, que jamais tivera talento para ser uma estrela internacional. Sua mãe ficaria triste porque nunca tinha recebido a mesada prometida — embora Maria, em suas cartas, afirmasse que o correio estava roubando o dinheiro. Seu pai a olharia o resto da vida com aquela expressão de "eu sabia", ela voltaria a trabalhar na loja de tecidos, se casaria com o dono, depois de ter viajado de avião, comido queijo suíço na Suíça, aprendido francês e pisado na neve.

Por outro lado, existiam os drinques de mil francos suíços. Talvez não durasse muito tempo — afinal, a beleza muda rápido como o vento —, mas em um ano teria dinheiro para recuperar tudo e voltar ao mundo, dessa vez ditando ela mesma as regras do jogo. Seu único problema concreto é que não sabia o que fazer, como começar. Em seus tempos na boate familiar, uma moça mencionara um lugar chamado Rue de Berne — aliás, fora um dos seus primeiros comentários, antes mesmo de mostrar onde devia deixar as malas.

Foi até um dos grandes painéis que se encontravam em vários lugares de Genève, aquela cidade tão gentil com os turistas, que não gostava de vê-los perdidos — e, para evitar isso, esses painéis tinham anúncios de um lado e mapas do outro.

Um homem estava ali, e ela perguntou se ele sabia onde ficava a Rue de Berne. Ele a olhou intrigado, perguntou se era exatamente isso que estava procurando ou se queria saber onde ficava a estrada que ia até Berne, a capital da Suíça.

— Não — respondeu Maria —, quero a tal rua que fica aqui mesmo.

O homem olhou-a de cima a baixo e afastou-se sem dizer uma palavra, certo de que talvez estivesse sendo filmado para um desses programas de TV em que a grande alegria do público é fazer com que todos pareçam ridículos. Maria ficou quinze minutos ali parada — afinal, a cidade era pequena — e acabou encontrando o local.

Sua amiga invisível, que tinha ficado calada enquanto ela se concentrava no mapa, agora tentava argumentar; não era uma questão de moral, mas de seguir um caminho sem volta.

Maria respondeu que, se fosse capaz de ter dinheiro para ir embora da Suíça, seria capaz de sair de qualquer situação. Além do mais, nenhuma daquelas pessoas com as quais cruzara no seu passeio tinha escolhido o que desejava fazer. Essa era a realidade da vida.

"Estamos em um vale de lágrimas", disse à amiga invisível. "Podemos ter muitos sonhos, mas a vida é dura, implacável, triste. O que você quer me dizer? Que irão me condenar? Ninguém saberá — e isso será apenas um período de minha vida."

Com um sorriso doce, mas triste, a amiga invisível desapareceu.

Maria foi até o parque de diversões, comprou uma entrada para a montanha-russa, gritou como todos os outros, mas entendendo que não havia perigo, era apenas um brinquedo. Comeu em um restaurante japonês, mesmo sem entender direito o que comia — sabia apenas que era muito caro — e agora estava disposta a se dar todos os luxos. Estava alegre, não precisava esperar por um telefonema nem contar os centavos que gastava.

No fim do dia, ligou para a agência, disse que o encontro fora muito bom e que estava agradecida. Se fossem sérios, perguntariam sobre as fotos. Se fossem agenciadores de mulheres, arranjariam novos encontros. Atravessou a ponte, voltou para o pequeno quarto, resolveu que não compraria de jeito nenhum uma televisão, mesmo tendo dinheiro e muitos planos pela frente: precisava pensar, usar todo o seu tempo para pensar.

* * *

DO DIÁRIO DE MARIA naquela noite (com uma anotação na margem dizendo "Não estou muito convencida"):

Descobri por que um homem paga por uma mulher: ele quer ser feliz. Não vai pagar mil francos apenas para ter um orgasmo. Ele quer ser feliz. Eu também quero, todo mundo quer, e ninguém consegue. O que tenho a perder se resolver me transformar por algum tempo em uma... a palavra é difícil de pensar e escrever... mas vamos lá... o que posso perder se resolver ser uma prostituta por algum tempo?

A honra. A dignidade. O respeito por mim. Pensando bem, nunca tive nenhuma dessas três coisas. Não pedi para nascer, não consegui alguém que me amasse, sempre tomei as decisões erradas. Agora estou deixando que a vida decida por mim.

Alguém da agência telefonou no dia seguinte, perguntou sobre as fotos e para quando seria o desfile, já que ganhavam uma comissão sobre cada trabalho. Maria disse que o árabe devia entrar em contato com eles, imediatamente deduzindo que não sabiam de nada.

Foi até a biblioteca e pediu livros sobre sexo. Se estava considerando seriamente a possibilidade de trabalhar — por um ano apenas, ela havia prometido a si mesma — com algo sobre o qual não conhecia nada, a primeira coisa que precisava aprender era como agir, como dar prazer e como receber dinheiro em troca.

Para sua decepção, a bibliotecária disse que tinham apenas uns poucos tratados técnicos, já que aquela era uma instituição do governo. Maria leu o índice de um dos tratados técnicos, e logo devolveu: não entendiam nada de felicidade, falavam apenas de ereção, penetração, impotência, precauções, coisas sem o menor sabor. Por um dado momento, chegou a considerar seriamente a possibilidade de levar *Considerações psicológicas sobre a frigidez da mulher*, já que, no seu caso, só conseguia ter orgasmos por meio da masturbação, embora fosse muito agradável ser possuída e penetrada por um homem.

Mas não estava ali em busca de prazer, e sim de trabalho. Agradeceu à bibliotecária, passou em uma loja e fez seu primeiro investimento na possível carreira que se delineava no horizonte — roupas que considerava sexy o suficiente para despertar todo tipo de desejo. Em seguida, foi ao lugar que havia descoberto no mapa. A Rue de Berne começava em frente a uma igreja (coincidência, perto do tal restaurante japonês onde jantara no dia anterior!), transformava-se em vitrines vendendo relógios baratos, até que, em seu final, ficavam as boates de que havia escutado falar, todas fechadas àquela hora do dia. Tornou a passear em volta do lago, comprou — sem qualquer constrangimento — cinco revistas pornográficas para estudar o que eventualmente deveria fazer, esperou a noite e dirigiu-se de novo ao lugar. Ali, escolheu por acaso um bar com o sugestivo nome brasileiro de Copacabana.

Não tinha decidido nada, dizia para si mesma. Era apenas uma experiência. Nunca se sentira tão bem e tão livre em todo o tempo que passara na Suíça.

— Está procurando emprego — disse o dono, que lavava copos por detrás de um balcão, sem mesmo colocar um ponto de interrogação na frase. O lugar consistia em uma série de mesas, um canto com uma espécie de pista de dança e alguns sofás encostados nas paredes. — Nada feito. Para trabalhar aqui, já que obedecemos à lei, é preciso ter pelo menos uma carteira de trabalho.

Maria mostrou o documento e o homem pareceu melhorar seu mau humor.

— Tem experiência?

Ela não sabia o que dizer: se dissesse que sim, ele iria perguntar onde trabalhara antes. Se negasse, ele seria capaz de recusá-la.

— Estou escrevendo um livro.

A ideia saíra do nada, como se uma voz invisível a estivesse ajudando naquele momento. Notou que o homem sabia que era uma mentira e fingia que acreditava.

— Antes de tomar qualquer decisão, fale com algumas das moças. Temos pelo menos seis brasileiras, e você poderá saber tudo o que a aguarda.

Maria quis dizer que não precisava de conselhos de ninguém, que tampouco tinha tomado uma decisão, mas o homem já se deslocara para o outro lado do bar, deixando-a sozinha, sem lhe oferecer sequer um copo de água.

As moças foram chegando, o dono identificou algumas brasileiras e pediu que conversassem com a recém-chegada. Nenhuma delas parecia disposta a obedecer, e Maria deduziu que tinham medo da concorrência. O som da boate foi ligado, algumas canções brasileiras começaram a tocar (afinal, o lugar chamava-se Copacabana), entraram moças de traços asiáticos, outras que pareciam ter saído das montanhas nevadas e românticas ao redor de Genève. Finalmente, depois de quase duas horas de espera, muita sede, alguns cigarros, uma sensação cada vez mais profunda de que estava tomando uma decisão errada, uma repetição mental infindável da frase "O que estou fazendo aqui?" e uma irritação com a total ausência de interesse tanto do proprietário como das meninas, uma das brasileiras terminou se aproximando.

— Por que escolheu este lugar?

Maria podia voltar para a história do livro ou fazer o que fizera com relação aos curdos e a Joan Miró: dizer a verdade.

— Pelo nome. Não sei por onde começar, e tampouco sei se quero começar.

A moça pareceu surpresa com o comentário direto e franco. Bebeu um trago de algo que parecia uísque, escutou uma música brasileira que tocava, falou da saudade que sentia de sua terra, disse que o movimento ia ser fraco aquela noite, porque tinham cancelado um grande congresso internacional que aconteceria nas proximidades de Genève. No final, quando notou que Maria não ia embora, disse:

— É muito simples, você deve obedecer a três regras. A primeira: não se apaixone por ninguém com quem trabalha ou com quem faz amor. A segunda: não acredite em promessas e cobre sempre adiantado. A terceira: não use drogas.

Fez uma pausa.

— E comece logo. Se voltar hoje para casa sem ter arranjado um homem, irá pensar duas vezes, e não terá coragem de voltar.

Maria tinha ido preparada apenas para uma consulta, uma informação sobre as possibilidades de um trabalho provisório, mas percebeu que estava diante daquele sentimento que faz com que as pessoas tomem uma decisão rapidamente — desespero!

— Está bem. Começo hoje.

Não confessou que havia começado ontem. A mulher foi até o dono do bar, a quem chamou de Milan, e este veio conversar com Maria.

— Está com roupa de baixo bonita?

Ninguém lhe fizera essa pergunta antes. Nem seus namorados, nem o árabe, nem suas amigas, muito menos um estranho. Mas então era assim a vida naquele lugar: direto ao assunto.

— Estou com uma calcinha azul-clara. E sem sutiã — acrescentou, provocativa. Mas tudo que conseguiu foi uma reprimenda:

— Amanhã, use calcinha preta, sutiã e meias-calças. Faz parte do ritual tirar o máximo de roupas possível.

Sem perder mais tempo, e agora com a certeza de que estava diante de uma novata, Milan ensinou-lhe o resto do ritual: o Copacabana devia ser um lugar agradável, e não um prostíbulo. Os homens entravam naquela boate querendo acreditar que iriam encontrar uma mulher desacompanhada, sozinha. Se alguém se aproximasse de sua mesa, e não fosse interrompido no percurso (porque, além de tudo, existia o conceito de "cliente exclusivo de certas meninas"), com toda a certeza convidaria: "Quer beber alguma coisa?".

Ao que Maria podia responder sim ou não. Era livre para escolher sua companhia, embora fosse desaconselhável dizer "não" mais de uma vez por noite. Caso respondesse afirmativamente, pediria um coquetel de frutas, que (por casualidade) era a bebida mais cara da lista. Nada de álcool, nada de deixar que o cliente escolhesse por ela.

Depois, devia aceitar um eventual convite para dançar. A maioria dos frequentadores era conhecida e, exceto pelos "clientes exclusivos", sobre os quais não entrou em detalhes, ninguém representava qualquer risco. A polícia e o Ministério da Saúde exigiam exames de sangue mensais, para ver se não eram portadoras de doenças sexualmente transmissíveis. O uso do preservativo era obrigatório, embora não tivessem como vigiar se esta norma estava ou não sendo cumprida. Não podiam jamais provocar um escândalo — Milan era casado, pai de família, preocupado com sua reputação e o bom nome de sua boate.

Continuou explicando o ritual: depois de dançar, voltavam para a mesa, e o cliente, como se estivesse dizendo algo inesperado, a convidava para ir a um hotel com ele. O preço normal era trezentos e cinquenta francos, dos quais cinquenta ficariam para Milan, a título de aluguel da mesa (um artifício legal para evitar, no futuro, complicações jurídicas e acusação de explorar o sexo com fins lucrativos).

Maria ainda tentou argumentar:

— Mas eu ganhei mil francos por...

O dono fez menção de afastar-se, mas a brasileira, que assistia à conversa, interferiu:

— Ela está brincando.

E, virando-se para Maria, disse em bom e sonoro português:

— Este é o lugar mais caro de Genève (ali a cidade se chamava Genève, e não Genebra). Nunca repita isso. Ele conhece o preço do mercado, e sabe que ninguém vai para a cama por mil francos, exceto se tiver sorte e competência com os "clientes especiais".

Os olhos de Milan, que mais tarde Maria descobriria ser um iugoslavo que ali vivia fazia vinte anos, não deixavam margem a qualquer dúvida:

— O preço é trezentos e cinquenta francos.

— Sim, o preço é este — repetiu uma humilhada Maria.

Primeiro, ele pergunta qual a cor de sua roupa de baixo. Em seguida, decide o preço do seu corpo.

Mas não tinha tempo para pensar, o homem continuava dando instruções: não devia aceitar convites para ir a casas ou a hotéis que não fossem cinco estrelas. Se o cliente não tivesse aonde levá-la, ela iria a um hotel localizado a cinco quadras dali, mas sempre de táxi, para evitar que outras mulheres de outras boates na Rue de Berne se acostumassem com seu rosto — Maria não acreditou nisso, e pensou que a verdadeira razão fosse receber um convite para trabalhar em melhores condições, em outra boate. Mas guardou seus pensamentos para si mesma, já lhe bastava a discussão sobre o preço.

— Repito mais uma vez: assim como fazem os policiais no cinema, jamais beba enquanto trabalha. Vou deixá-la, o movimento começa daqui a pouco.

— Agradeça a ele — disse, em português, a brasileira.

Maria agradeceu. O homem sorriu, mas ainda não tinha terminado sua lista de recomendações:

— Esqueci algo: o tempo entre o pedido de bebida e o momento de sair não deve ultrapassar, de maneira alguma, quarenta e cinco minutos — e na Suíça, com relógios por todos os lados, até iugoslavos e brasileiros aprendem a respeitar o horário. Lembre-se de que eu alimento meus filhos com sua comissão.

Estava lembrado.

Deu-lhe um copo de água mineral com gás e limão — podia facilmente passar por gim-tônica — e pediu que aguardasse.

Aos poucos, a boate começou a encher. Os homens entravam, olhavam em volta, sentavam-se sozinhos e logo aparecia alguém da casa, como se fosse uma festa e todos se conhecessem há muito tempo, e agora estivessem aproveitando para se divertir um pouco, depois de um longo dia de trabalho. A cada homem que arranjava uma companhia, Maria suspirava, aliviada, embora já estivesse se sentindo muito melhor. Talvez porque fosse a Suíça, talvez porque, cedo ou tarde, encontraria aventura, dinheiro ou um marido como sempre sonhara. Talvez porque — agora se dava conta — era a primeira vez em muitas semanas que saía à noite e ia para um lugar onde tocavam música e onde podia, de vez em quando, escutar alguém falando português. Divertia-se com as meninas à sua volta, rindo, tomando coquetel de frutas, conversando alegremente.

Nenhuma delas viera cumprimentá-la ou desejar-lhe sucesso em sua nova profissão, mas isso era normal, afinal de contas era uma concorrente, adversária, disputando o mesmo troféu. Em vez de ficar deprimida, sentiu orgulho — estava lutando, combatendo, não era uma pessoa desamparada. Podia, assim que quisesse, abrir a porta e ir embora de vez, mas iria sempre se lembrar de que tivera coragem de chegar até ali, negociar e discutir sobre coisas nas quais, em nenhum momento da sua vida, ousara pensar. Não era uma vítima do destino, repetia a cada minuto: estava correndo seus riscos, indo além dos seus limites, vivendo coisas que um dia, no silêncio do seu coração, nos momentos cheios de tédio da velhice, poderia lembrar com uma certa dose de saudade — por mais absurdo que isso pudesse parecer.

Tinha certeza de que ninguém ia se aproximar dela, e amanhã tudo não passaria de uma espécie de sonho louco, que ela jamais ousaria repetir; porque acabara de se dar conta de que mil francos por uma noite só acontece uma vez e seria mais seguro comprar a passagem de volta para o Brasil. Para que o tempo passasse mais rápido, começou a calcular quanto ganharia cada uma daquelas moças: se saíssem três vezes por dia, conseguiriam a cada quatro horas de trabalho o equivalente a dois meses de seu salário na loja de tecidos. ,

Tudo isso? Bem, ela ganhara mil francos em uma noite, mas talvez fosse sorte de principiante. De qualquer maneira, os rendimentos de uma prostituta normal eram mais, muito mais, do que poderia conseguir dando aulas de francês na sua terra. Tudo isso tendo como único esforço ficar em um bar durante algum tempo, dançar, abrir as pernas, e ponto final. Nem mesmo conversar era necessário.

Dinheiro podia ser um bom motivo, continuou pensando. Mas era tudo? Ou as pessoas que estavam ali, clientes e mulheres, conseguiam se divertir de alguma maneira? Será que o mundo era bem diferente do que lhe haviam contado na escola? Se usasse preservativo, não haveria nenhum risco, nem mesmo havia perigo de ser reconhecida por alguém de sua terra. Ninguém visita Genève, exceto — como lhe disseram uma vez no curso — os que gostavam de frequentar bancos. Mas os brasileiros, em sua maioria, gostam mesmo é de frequentar lojas, de preferência em Miami ou Paris. Trezentos francos por dia, cinco dias por semana.

Uma fortuna! O que aquelas meninas continuavam a fazer ali, se em um mês conseguiam dinheiro suficiente para voltar e comprar uma casa para a mãe delas? Será que estavam trabalhando havia pouco tempo?

Ou — e Maria teve medo da própria pergunta — será que era bom?

De novo sentiu vontade de beber — o champanhe ajudara muito no dia anterior.

— Aceita um drinque?

Diante dela, um homem de aproximadamente trinta anos, com uniforme de uma companhia aérea.

O mundo entrou em câmara lenta e Maria experimentou a sensação de sair do seu corpo e observar-se do lado de fora. Morrendo de vergonha, mas lutando para controlar o rubor de sua face, fez que sim com a cabeça, sorriu e entendeu que a partir daquele minuto sua vida tinha mudado para sempre.

Coquetel de frutas, conversa, o que está fazendo aqui, está frio, não é verdade? Gosto desta música, pois eu prefiro Abba, os suíços são frios, você é do Brasil? Conte-me sobre a sua terra. Tem carnaval. As brasileiras são lindas, você sabia?

Sorrir e aceitar o elogio, fazer talvez um ar meio tímido. Dançar de novo, mas prestando atenção ao olhar de Milan, que às vezes coça a cabeça e aponta para o relógio em seu pulso. Cheiro de perfume do homem, entende rápido que precisa se acostumar com cheiros. Pelo menos este é de perfume. Dançam agarrados. Mais um coquetel de frutas, o tempo está passando, ele não tinha dito que eram quarenta e cinco minutos? Olha o relógio, ele pergunta se está esperando alguém, ela diz que dali a uma hora virão alguns amigos, ele a convida para sair. Hotel, trezentos e cinquenta francos, ducha após o sexo (o homem comentou, intrigado, que ninguém tinha feito isso antes). Não é Maria, é alguma outra pessoa que está em seu corpo, que não sente nada, apenas cumpre mecanicamente uma espécie de ritual. É uma atriz. Milan tinha ensinado tudo, menos como se despedir do cliente. Ela agradece, ele também está sem jeito e com sono.

Reluta, quer voltar para casa, mas deve ir à boate entregar os cinquenta francos, e então novo homem, novo coquetel, perguntas sobre o Brasil, hotel, ducha de novo (desta vez sem comentários). Retorna ao bar, o dono pega sua comissão, diz que pode ir embora, o movimento está fraco aquele dia. Não toma um táxi, cruza toda a Rue de Berne a pé, olhando as outras boates, as vitrines com relógios, a igreja na esquina (fechada, sempre fechada...). Ninguém retorna o olhar — como sempre.

Caminha pelo frio. Não sente a temperatura, não chora, não pensa no dinheiro que ganhou, está em uma espécie de transe. Algumas pessoas nasceram para encarar a vida sozinhas, isso não é bom nem mau, apenas a vida. Maria é uma dessas pessoas.

Começa a fazer força para refletir sobre o que aconteceu, começou hoje e, no entanto, já se considera uma profissional, parece que foi há muito tempo, que fez isso toda a sua vida. Tem um estranho amor por si mesma, está contente por não ter fugido. Agora precisa decidir se vai seguir adiante. Se seguir, será a melhor — coisa que nunca foi, em momento algum.

Mas a vida estava lhe ensinando — muito rápido — que só os fortes sobrevivem. Para ser forte, é preciso ser mesmo o melhor, não há alternativa.

* * *

DO DIÁRIO DE MARIA, uma semana depois:

Eu não sou um corpo que tem uma alma, sou uma alma que tem uma parte visível chamada corpo. Durante todos esses dias, ao contrário do que podia imaginar, esta alma esteve muito mais presente. Não me dizia nada, não me criticava, não sentia pena de mim; apenas me observava.

Hoje me dei conta do motivo pelo qual isso acontecia: há muito tempo não penso em algo chamado amor. Parece que ele está fugindo de mim, como se não fosse mais importante e não se sentisse bem-vindo. Mas, se não pensar em amor, não serei nada.

Quando voltei ao Copacabana, no segundo dia, já era vista com muito mais respeito — pelo que entendi, muitas garotas aparecem por uma noite e não aguentam continuar. Quem vai adiante passa a ser uma espécie de aliada, de companheira — porque pode entender as dificuldades e as razões, ou, melhor dizendo, a ausência de razões, de se ter escolhido esse tipo de vida.

Todas sonham com alguém que chegue e as descubra como verdadeira mulher, companheira, amiga sensual. Mas todas sabem, desde o primeiro minuto de um novo encontro, que nada disso irá acontecer.

Preciso escrever sobre o amor. Preciso pensar, pensar, escrever e escrever sobre o amor — ou minha alma não suportará.

Mesmo pensando que o amor era algo tão importante, Maria não se esqueceu do conselho que recebera na primeira noite e procurou vivê-lo apenas nas páginas do seu diário. De resto, buscava desesperadamente um meio de ser a melhor, conseguir muito dinheiro em pouco tempo, não pensar muito e encontrar uma boa razão para fazer aquilo que fazia.

Essa era a parte mais difícil: qual seria a verdadeira razão? Fazia aquilo porque precisava. Não era bem assim — todo mundo sempre precisa ganhar dinheiro, e nem todos escolhem viver completamente à margem da sociedade. Fazia porque estava querendo ter uma experiência nova. Será? A cidade estava cheia de experiências novas — como esquiar ou andar de barco no lago, por exemplo, e ela jamais tivera qualquer curiosidade a respeito. Fazia porque já não tinha mais nada a perder, sua vida era uma frustração diária e constante.

Não, nenhuma das respostas era verdadeira, melhor esquecer o assunto e simplesmente continuar vivendo o que estava em seu caminho. Tinha muita coisa em comum com as outras prostitutas e com as outras mulheres que conhecera em sua vida: casar e ter uma vida segura era o maior de todos os sonhos. As que não pensavam nisso ou tinham marido (quase a terça parte de suas companheiras era casada), ou vinham de uma experiência recente de divórcio. Por causa disso, para entender a si mesma, ela tentou — com todo o cuidado — entender por que suas companheiras tinham escolhido aquela profissão.

Não ouviu nenhuma novidade e fez uma lista das respostas:

a) Precisavam ajudar o marido em casa (e o ciúme?). E se aparecesse algum amigo do marido? Mas não teve coragem de ir tão longe.

b) Queriam comprar uma casa para a mãe (desculpa igual à sua, que parecia nobre, mas era a mais comum).

c) Tinham de juntar dinheiro para a passagem de volta (colombianas, tailandesas, peruanas e brasileiras adoravam este motivo, embora já tivessem ganhado muitas vezes o dinheiro e logo se desfeito dele, com medo de realizar o sonho).

d) Faziam por prazer (não combinava muito com o ambiente, soava falso).

e) Não tinham conseguido fazer mais nada (também não era uma boa razão, a Suíça estava cheia de empregos de faxineira, motorista, cozinheira).

Enfim, não descobriu nenhum bom motivo e parou de tentar explicar o universo ao seu redor.

Viu que o proprietário, Milan, tinha razão: nunca mais tinham oferecido a ela mil francos suíços para passar algumas horas em sua companhia. Por outro lado, ninguém reclamava quando pedia trezentos e cinquenta francos, como se já soubessem e perguntassem apenas para humilhar — ou para não terem surpresas desagradáveis.

Uma das meninas comentou:

— A prostituição é um negócio diferente dos outros: quem começa ganha mais, quem tem experiência ganha menos. Finja sempre que é uma iniciante.

Ainda não sabia o que eram os "clientes especiais", assunto apenas mencionado na primeira noite — ninguém tocava neste assunto. Aos poucos foi aprendendo alguns dos truques mais importantes da profissão, como nunca perguntar pela vida pessoal, sorrir e falar o mínimo possível, não marcar jamais encontros fora da boate. O conselho mais importante veio de uma filipina chamada Nyah:

— Você deve gemer na hora do orgasmo. Isso faz com que o cliente permaneça fiel a você.

— Mas por quê? Eles estão pagando para se satisfazer.

— Você está enganada. Um homem não prova que é macho quando tem uma ereção. Ele é macho se é capaz de dar prazer a uma mulher. Se for capaz de dar prazer a uma prostituta, então ele vai se julgar o melhor de todos.

E assim se passaram seis meses: Maria aprendeu todas as lições de que precisava, como, por exemplo, o funcionamento do Copacabana. Sendo um dos lugares mais caros da Rue de Berne, a clientela era composta na maior parte de executivos, que tinham permissão de chegar tarde em casa, já que estavam "jantando fora com clientes", mas o limite para esses "jantares" não devia ultrapassar as vinte e três horas. A maioria das prostitutas tinha entre dezoito e vinte e dois anos, e elas ficavam em média dois anos na casa, logo sendo substituídas por outras recém-chegadas. Iam então para o Néon, logo em seguida para o Xenium e, à medida que a idade da mulher aumentava, o preço descia, e as horas de trabalho se evaporavam. Terminavam quase todas no Tropical Extasy, que aceitava mulheres com mais de trinta anos. Uma vez ali, no entanto, a única saída era sustentar-se arranjando o suficiente para o almoço e o aluguel com um ou dois estudantes por dia (média de preço por programa: o suficiente para comprar uma garrafa de vinho barato).

Foi para a cama com muitos homens. Jamais se importava com a idade ou com as roupas que usavam, mas o seu "sim" ou "não" dependia do cheiro que exalavam. Nada tinha contra o cigarro, mas detestava perfumes baratos e clientes que não tomavam banho ou que tinham as roupas impregnadas de bebida. O Copacabana era um lugar tranquilo, e a Suíça talvez fosse o melhor país do mundo para se trabalhar como prostituta — desde que se tivesse permissão de residência e trabalho, papéis em dia e seguro social pago religiosamente. Milan vivia repetindo que não desejava que seus filhos o vissem nas páginas de jornais sensacionalistas, e conseguia ser mais rígido do que um policial quando se tratava de verificar a situação de suas contratadas.

Enfim, uma vez vencida a barreira da primeira ou da segunda noite, era uma profissão como qualquer outra, em que se trabalhava duro, lutava-se contra a concorrência, esforçava-se para manter um padrão de qualidade, cumpria-se horários, estressava-se um pouco, reclamava-se do movimento e descansava-se aos domingos. A maior parte das prostitutas tinha algum tipo de fé e frequentava seus cultos, suas missas, suas preces, e tinha seus encontros com Deus.

Maria, porém, lutava com as páginas do seu diário para não perder sua alma. Descobriu, para sua surpresa, que um em cada cinco clientes não estava lá para fazer amor, mas para conversar um pouco. Pagavam o preço da tabela, o hotel e, na hora de tirar a roupa, diziam que não era necessário. Queriam falar das pressões do trabalho, da mulher que os traía com alguém, do fato de se sentirem sozinhos, sem ter com quem conversar (ela conhecia bem esta situação).

No início, achou muito estranho. Até que um dia, quando ia para o hotel com um francês importante, encarregado de caçar talentos para altos cargos executivos (ele lhe explicava isso como se fosse a coisa mais interessante do mundo), ouviu do seu cliente o seguinte comentário:

— Sabe quem é a pessoa mais solitária do mundo? É o executivo que tem uma carreira bem-sucedida, ganha um salário altíssimo, recebe a confiança de quem está acima e abaixo dele, tem uma família com quem passa as férias, filhos a quem ajuda nos deveres escolares e que, um belo dia, encontra um tipo como eu, com a seguinte proposta: "Você quer mudar de emprego, ganhando o dobro?".

"Esse homem, que tem tudo para sentir-se desejado e feliz, torna-se a pessoa mais miserável do planeta. Por quê? Porque não tem com quem conversar. Está tentado a aceitar minha proposta, mas não pode comentá-la com os colegas de trabalho, pois estes fariam de tudo para convencê-lo a ficar onde está. Não pode falar com a mulher, que durante anos acompanhou sua carreira vitoriosa, entende muito de segurança, mas não entende de riscos. Não pode falar com ninguém, e está diante da grande decisão da sua vida. Você pode imaginar o que sente este homem?"

Não, não era essa a pessoa mais solitária do mundo, porque Maria conhecia a pessoa mais sozinha da face da Terra: ela mesma. Ainda assim, concordou com seu cliente, na esperança de uma boa gorjeta — que veio. E, a partir daquele comentário, entendeu que precisava descobrir algo para liberar seus clientes da pressão enorme que pareciam carregar; isso significaria uma melhora na qualidade dos seus serviços e uma possibilidade de dinheiro extra.

Quando entendeu que liberar a tensão da alma era tão ou mais lucrativo do que liberar a tensão do corpo, voltou a frequentar a biblioteca. Começou a pedir livros sobre problemas conjugais, psicologia, política. A bibliotecária estava encantada, porque a menina pela qual tinha tanto carinho desistira de ficar pensando em sexo e agora se concentrava em coisas mais importantes. Passou a ler regularmente os jornais, acompanhando, sempre que possível, as páginas de economia — já que a maior parte dos seus clientes eram executivos. Pediu livros de autoajuda — pois quase todos lhe pediam conselhos. Estudou tratados sobre a emoção humana — uma vez que todos sofriam, por uma razão ou por outra. Maria era uma prostituta respeitável, diferente e, ao final dos seis meses de trabalho, tinha uma clientela seleta, numerosa e fiel, o que despertava a inveja, o ciúme, mas também a admiração das companheiras.

Quanto ao sexo, até aquele momento nada tinha acrescentado à sua vida: era abrir as pernas, exigir que colocassem um preservativo, gemer um pouco para aumentar a possibilidade de uma gorjeta (graças à filipina Nyah ela descobrira que os gemidos podiam render cinquenta francos a mais) e tomar uma ducha logo após a relação, de modo que a água lavasse um pouco a sua alma. Nada de variações. Nada de beijo — o beijo, para uma prostituta, era mais sagrado que qualquer outra coisa. Nyah lhe ensinara que devia conservar o beijo para o amado da sua vida, como no conto da Bela Adormecida; um beijo que a faria despertar do sono e voltar ao mundo do conto de fadas, no qual a Suíça se transformava de novo no país do chocolate, das vacas e dos relógios.

Também nada de orgasmos, prazer ou coisas excitantes. Na busca para ser a melhor de todas, Maria andara assistindo a algumas sessões de filmes pornográficos, esperando aprender algo que pudesse usar no seu trabalho. Tinha visto muita coisa interessante, mas não se animava a praticar com seus clientes — demoravam muito, e Milan sempre ficava contente quando as mulheres se encontravam com três homens numa noite.

Ao final de seis meses, Maria tinha depositado sessenta mil francos no banco, passara a comer em restaurantes mais caros, comprara uma TV (que nunca usava, mas que gostava de ter por perto) e considerava seriamente a possibilidade de mudar para um apartamento melhor. Já podia comprar livros, mas continuava a frequentar a biblioteca, que era sua ponte para o mundo real, mais sólido e mais duradouro. Gostava de conversar com a bibliotecária, que estava feliz porque imaginava que Maria finalmente arranjara um amor e talvez um emprego, mas não perguntava nada, pois os suíços são tímidos e discretos (verdadeira mentira, porque no Copacabana e na cama eram desinibidos, alegres ou complexados como qualquer outro povo do mundo).

* * *

DO DIÁRIO DE MARIA, em uma tarde morna de domingo:

Todos os homens, baixos ou altos, arrogantes ou tímidos, simpáticos ou distantes, têm uma característica em comum: chegam à boate com medo. Os mais experientes escondem seu pavor falando alto, os inibidos não conseguem disfarçar e começam a beber para ver se a sensação vai embora. Mas não tenho dúvida, com raríssimas exceções — que são os "clientes especiais", que Milan ainda não me apresentou —, eles estão assustados.

Com medo de quê? Na verdade, sou eu quem devia estar tremendo. Sou eu quem sai, vai para um lugar estranho, não tenho força física, não carrego armas. Os homens são muito estranhos, e não estou falando apenas daqueles que vêm ao Copacabana, mas de todos que conheci até hoje. Podem bater, podem gritar, podem ameaçar, mas morrem de medo de uma mulher. Talvez não daquela com quem se casaram, mas sempre existe uma que os assusta e os submete a todos os seus caprichos. Nem que seja a própria mãe.

Os homens que conhecera desde que chegara a Genève faziam de tudo para parecerem seguros de si, como se governassem o mundo e a própria vida. Maria, porém, via nos olhos de cada um o terror da esposa, o pânico de não conseguir ter uma ereção, de não serem machos o suficiente nem diante de uma simples prostituta, a quem estavam pagando. Se fossem a uma loja e não lhes agradasse o calçado, seriam capazes de voltar com o recibo na mão e exigir o reembolso. Entretanto, embora também estivessem pagando por uma companhia, se não tivessem uma ereção, jamais voltariam à mesma boate, porque achavam que a história teria se espalhado entre todas as outras mulheres, seria uma vergonha.

"Sou eu quem devia ter vergonha por não conseguir excitar um homem. Mas, na verdade, são eles que têm."

Para evitar esses constrangimentos, Maria procurava deixá-los sempre à vontade e, quando algum deles parecia mais bêbado ou mais frágil do que o normal, evitava o sexo e concentrava-se apenas em carícias e masturbação, o que os deixava muito contentes (por mais absurda que parecesse esta situação, já que podiam masturbar-se sozinhos).

Era preciso sempre evitar que ficassem envergonhados. Aqueles homens, tão poderosos e arrogantes em seus trabalhos, que lidavam sem parar com empregados, clientes, fornecedores, preconceitos, segredos, atitudes falsas, hipocrisia, medo e opressão, terminavam o dia em uma boate, e não se importavam em pagar trezentos e cinquenta francos suíços para deixarem de ser eles mesmos durante a noite.

"Durante a noite? Ora, Maria, você está exagerando. Na verdade, são quarenta e cinco minutos, e mesmo assim, se descontarmos tirar a roupa, ensaiar algum falso carinho, conversar alguma coisa óbvia, vestir a roupa, reduziremos este tempo para onze minutos de sexo propriamente dito."

Onze minutos. O mundo girava em torno de algo que demorava apenas onze minutos.

E por causa destes onze minutos em um dia de vinte e quatro horas (considerando que todos fizessem amor com a esposa todos os dias, o que era um verdadeiro absurdo e uma mentira completa), eles se casavam, sustentavam a família, aguentavam o choro das crianças, se desmanchavam em explicações quando chegavam tarde em casa, olhavam dezenas, centenas de outras mulheres com quem gostariam de passear em torno do lago de Genève, compravam roupas caras para si mesmos, roupas ainda mais caras para elas, pagavam prostitutas para compensar o que estava faltando, sustentavam uma gigantesca indústria de cosméticos, dietas, ginástica, pornografia, poder — e quando se encontravam com outros homens, ao contrário do que dizia a lenda, jamais falavam de mulheres. Conversavam sobre empregos, dinheiro e esporte.

Havia algo de muito errado com a civilização; e não era o desmatamento da Amazônia, a camada de ozônio, a morte dos pandas, o cigarro, os alimentos cancerígenos, a situação nas penitenciárias, como gritavam os jornais. Era exatamente aquilo em que trabalhava: o sexo.

Entretanto, Maria não estava ali para salvar a humanidade, e sim para aumentar sua conta bancária, sobreviver por mais seis meses à solidão e à escolha que fizera, enviar regularmente a mesada para a sua mãe (que ficou muito contente ao saber que a ausência de dinheiro devia-se apenas ao correio suíço, que não funcionava tão bem como o correio brasileiro), comprar tudo o que sempre sonhara e jamais tivera. Mudou-se para um apartamento muito melhor, com calefação central (embora o verão já tivesse chegado), e da sua janela podia ver uma igreja, um restaurante japonês, um supermercado e um simpático café, que costumava frequentar para ler um pouco os jornais.

De resto, conforme prometera a si mesma, era só aguentar mais meio ano na rotina de sempre: Copacabana, aceita um drinque, dançar, o que acha do Brasil, hotel, cobrar adiantado, conversar e saber tocar nos pontos exatos — tanto no corpo como na alma, principalmente na alma —, ajudar nos problemas íntimos, ser amiga por meia hora, da qual onze minutos serão gastos em abre perna, fecha perna, gemidos fingindo prazer. Obrigada, espero vê-lo na próxima semana, você é realmente um homem, vou ouvir o resto da história a próxima vez que nos encontrarmos, excelente gorjeta, afinal não precisava, porque eu tive muito prazer em estar com você.

E, sobretudo, jamais se apaixonar. Este era o mais importante, o mais sensato de todos os conselhos que a brasileira lhe dera — antes de sumir, provavelmente porque se apaixonara. Em dois meses de trabalho já tivera várias propostas de casamento, sendo que pelo menos três eram muito sérias: um diretor de uma firma de contabilidade, o tal piloto com quem saíra na primeira noite e o dono de uma loja especializada em canivetes e armas brancas. Os três prometeram "tirá-la daquela vida" e dar-lhe uma casa decente, um futuro, talvez filhos e netos.

Tudo por apenas onze minutos por dia? Não era possível. Agora, depois de sua experiência no Copacabana, sabia que não era a única pessoa a sentir-se sozinha. E o ser humano pode tolerar uma semana de sede, duas semanas de fome, muitos anos sem teto — mas não pode tolerar a solidão. É a pior de todas as torturas, de todos os sofrimentos. Aqueles homens, e os muitos outros que queriam sua companhia, sofriam como ela este sentimento destruidor — a sensação de que ninguém na Terra se importava com eles.

Para evitar as tentações do amor, seu coração estava apenas em seu diário. Entrava no Copacabana apenas com seu corpo e seu cérebro, cada vez mais perceptivo, mais afiado. Conseguira convencer-se de que chegara a Genève e terminara na Rue de Berne por alguma razão maior, e cada vez que alugava um livro na biblioteca confirmava: ninguém escrevera direito sobre estes onze minutos mais importantes do dia. Talvez fosse esse o seu destino, por mais duro que pudesse parecer no momento: escrever um livro, contar sua história, sua aventura.

Isso, aventura. Embora fosse uma palavra proibida, que ninguém ousava pronunciar, experiência que a maior parte preferia viver na televisão, em filmes que passavam e repassavam nas mais diversas horas do dia, era isso que ela buscava. Combinava com desertos, com viagens para lugares desconhecidos, com homens misteriosos puxando conversa em um barco no meio do rio, com aviões, estúdios de cinema, tribos de índios, geleiras, África.

Gostou da ideia do livro, e chegou a pensar no título: *Onze minutos*.

Começou a classificar os clientes em três tipos: os Exterminadores (nome dado em homenagem a um filme do qual gostara muito), que já entravam cheirando a bebida, fingindo que não olhavam para ninguém, mas achando que todos estavam olhando para eles, dançando pouco e indo direto ao assunto do hotel. Os Pretty Woman (também por causa de um filme), que procuravam ser elegantes, gentis, carinhosos, como se o mundo dependesse daquele tipo de bondade para voltar ao seu eixo, como se estivessem caminhando pela rua e entrassem por acaso na boate; eram doces no início, e inseguros quando chegavam ao hotel, e, por causa disso, terminavam sendo mais exigentes que os Exterminadores. Finalmente, os Poderosos Chefões (também por causa de um filme), que tratavam o corpo de uma mulher como se trata uma mercadoria. Eram os mais autênticos, dançavam, conversavam, não deixavam gorjeta, sabiam o que estavam comprando e quanto valia, jamais se deixariam levar pela conversa de qualquer mulher que escolhessem. Esses eram os únicos que, de uma maneira muito sutil, conheciam o significado da palavra aventura.

* * *

DO DIÁRIO DE MARIA, em um dia em que estava menstruada e não podia trabalhar:

Se eu tivesse que contar hoje minha vida para alguém, poderia fazê-lo de tal maneira que iriam me achar uma mulher independente, corajosa e feliz. Nada disso: estou proibida de mencionar a única palavra que é muito mais importante que os onze minutos — amor.

Durante toda a minha vida, entendi o amor como uma espécie de escravidão consentida. É mentira: a liberdade só existe quando ele está presente. Quem se entrega totalmente, quem se sente livre, ama ao máximo.

E quem ama ao máximo sente-se livre.

Por causa disso, apesar de tudo o que posso viver, fazer, descobrir, nada tem sentido. Espero que este tempo passe rápido, para que eu possa voltar à busca de mim mesma — refletida em um homem que me entenda, que não me faça sofrer.

Mas que bobagem é esta que estou dizendo? No amor, ninguém pode machucar ninguém; cada um de nós é responsável por aquilo que sente, e não podemos culpar o outro por isso.

Já me senti ferida quando perdi os homens pelos quais me apaixonei. Hoje estou convencida de que ninguém perde ninguém, porque ninguém possui ninguém.

Esta é a verdadeira experiência da liberdade: ter a coisa mais importante do mundo sem possuí-la.

Mais três meses se passaram, o outono chegou, chegou também finalmente a data marcada no calendário: noventa dias para a viagem de volta. Tudo passara tão rápido e tão lentamente, pensou ela, descobrindo que o tempo corre em duas dimensões diferentes, dependendo do seu estado de espírito, mas, em ambos os casos, a sua aventura estava chegando ao fim. Poderia continuar, é claro, mas não se esquecia do sorriso triste da mulher invisível que a acompanhara pelo passeio em volta do lago, dizendo que as coisas não eram tão simples assim. Por mais que estivesse tentada a continuar, por mais preparada que estivesse para os desafios que tinham surgido em seu caminho, todos esses meses convivendo apenas consigo mesma tinham lhe ensinado que existe um momento certo de interromper tudo. Dali a noventa dias voltaria para o interior do Brasil, compraria uma pequena fazenda (afinal, ganhara mais do que o esperado), algumas vacas (brasileiras, não suíças), convidaria seu pai e sua mãe para morarem com ela, contrataria dois empregados e colocaria a empresa para funcionar.

Embora achasse que o amor é a verdadeira experiência de liberdade, e que ninguém pode possuir outra pessoa, ainda alimentava seus secretos desejos de vingança, e deles fazia parte seu retorno triunfal ao Brasil. Depois de montar sua fazenda, iria até a cidade, entraria no banco onde trabalhava o menino que havia saído com sua melhor amiga e faria um grande depósito em dinheiro. "Olá, como vai, você não me reconhece?", ele perguntaria. Ela fingiria um grande esforço de memória e terminaria dizendo que não, que passara um ano inteiro na EU-RO-PA (pronunciar bem devagar, para que todos os seus colegas escutem). Melhor dizendo, na SU-Í-ÇA (ia soar mais exótico e mais aventureiro do que França), onde existem os melhores bancos do mundo.

Quem era ele? Ele mencionaria os tempos de colégio. Ela diria, "Ah...! Acho que me lembro", mas fazendo uma cara de quem não se lembrava. Pronto, a vingança estaria consumada, então iria trabalhar mais e, quando o negócio já estivesse andando como previa, ela poderia se dedicar àquilo que mais lhe importava na vida: descobrir seu verdadeiro amor, o homem que a esperara por todos aqueles anos, mas que ela ainda não tivera a oportunidade de conhecer.

Maria resolveu esquecer para sempre a ideia de escrever um livro com o título de *Onze minutos*. Precisava agora se concentrar na fazenda, nos planos para o futuro, ou terminaria adiando sua viagem, um risco fatal.

107

Naquela tarde, saiu para encontrar-se com sua melhor — e única — amiga, a bibliotecária. Pediu um livro sobre pecuária e administração de fazendas. A bibliotecária lhe confessou:

— Sabe, há alguns meses, quando você veio aqui em busca de títulos sobre sexo, cheguei a temer por seu destino. Afinal de contas, muitas moças bonitas se deixam levar pela ilusão do dinheiro fácil e se esquecem de que um dia serão velhas e já não terão oportunidade de encontrar o homem de suas vidas.

— Você está falando de prostituição?

— Uma palavra muito forte.

— Como já disse, trabalho em uma empresa de importação e exportação de carne. Entretanto, se tivesse a oportunidade de me prostituir, as consequências seriam tão graves se parasse na hora certa? Afinal de contas, ser jovem também significa fazer coisas erradas.

— Todos os drogados dizem isso; basta saber a hora de parar. E ninguém para.

— A senhora deve ter sido uma mulher muito bonita, nascida em um país que respeita seus habitantes. Isso lhe bastou para que se sentisse feliz?

— Tenho orgulho de como superei meus obstáculos. Deveria continuar a história? Bem, aquela menina precisava aprender algo sobre a vida.

— Tive uma infância feliz, estudei em uma das melhores escolas de Berne, vim trabalhar em Genève, encontrei e casei-me com o homem que amava. Fiz tudo por ele, ele também fez tudo por mim, o tempo passou e veio a aposentadoria. Quando ficou livre para usar o seu tempo com tudo de que tinha vontade, seus olhos ficaram mais tristes — talvez porque, em toda a sua vida, jamais pensara em si mesmo. Nunca brigamos seriamente, não tivemos grandes emoções, ele jamais me traiu ou me desrespeitou em público. Vivemos uma vida normal, mas tão normal que, sem trabalho, ele sentiu-se inútil, sem importância, e morreu um ano depois, de câncer.

Estava falando a verdade, mas podia influenciar de maneira negativa a menina à sua frente.

— Seja como for, é melhor uma vida sem surpresas — concluiu. — Talvez meu marido tivesse morrido antes, se não fosse assim.

Maria saiu decidida a pesquisar sobre fazendas. Como tinha a tarde livre, resolveu passear um pouco e terminou notando, na parte alta da cidade, uma pequena placa amarela com um sol e uma inscrição: "Caminho de Santiago". O que era aquilo? Como havia um bar do outro lado da rua e como tinha aprendido a perguntar tudo o que não sabia, resolveu entrar e informar-se.

— Não tenho ideia — disse a moça atrás do balcão.

Era um lugar elegante, e o café custava três vezes mais do que o normal. Mas, já que tinha dinheiro e já que estava ali, pediu um café e resolveu dedicar as próximas horas a aprender tudo sobre administração de fazendas. Abriu o livro com entusiasmo, mas não conseguiu concentrar-se na leitura — era aborrecidíssimo. Seria muito mais interessante conversar com um dos seus fregueses a respeito do tema — eles sempre sabiam a melhor maneira de administrar o dinheiro. Pagou o café, levantou-se, agradeceu à moça que a serviu, deixou uma boa gorjeta (havia criado uma superstição a respeito: se desse muito, receberia também muito), caminhou em direção à porta e, sem dar-se conta da importância daquele momento, escutou a frase que mudaria para sempre os seus planos, seu futuro, sua fazenda, sua ideia de felicidade, sua alma de mulher, sua atitude de homem, seu lugar no mundo.

— Espere um pouco.

Olhou surpreendida para o lado. Aquilo ali era um bar respeitável, não era o Copacabana, onde os homens têm direito de dizer isso, embora as mulheres possam responder "Vou sair, e você não irá me impedir".

Preparava-se para ignorar o comentário, mas sua curiosidade foi mais forte e ela se virou em direção à voz. O que viu foi uma cena estranha: um homem de aproximadamente trinta anos (ou será que devia pensar "um rapaz de aproximadamente trinta anos"? Seu mundo tinha envelhecido muito rápido), de cabelos compridos, ajoelhado no chão, com pincéis espalhados ao seu redor — desenhando um senhor, sentado em uma cadeira, com um copo de anis ao seu lado. Não os havia notado quando entrara.

— Não vá embora. Estou terminando este retrato e gostaria de pintá-la também.

— Não estou interessada. — Maria respondeu; e, ao responder, criou o laço que faltava no Universo.

— Você tem luz. Deixe-me pelo menos fazer um esboço.

O que era esboço? O que era "luz"? Não deixava de ser uma mulher vaidosa, imagine ter o seu retrato feito por alguém que parecia sério! Começou a delirar: e se fosse um pintor famoso? Ela seria imortalizada para sempre em uma tela! Exposta em Paris ou em Salvador da Bahia! Um mito!

Por outro lado, o que fazia aquele homem, com toda aquela bagunça à sua volta, em um bar tão caro e possivelmente bem frequentado?

Adivinhando seu pensamento, a moça que atendia os clientes disse baixinho:

— Ele é um artista muito conhecido.

Sua intuição não falhara. Maria procurou controlar-se e manter o sangue-frio.

— Vem aqui de vez em quando e traz sempre um cliente importante. Diz que gosta do ambiente, que fica inspirado. Está fazendo um painel com as pessoas que representam a cidade, foi uma encomenda da prefeitura.

Maria olhou para o homem que estava sendo retratado. De novo a garçonete leu seu pensamento.

— É um químico que fez uma descoberta revolucionária. Ganhou o prêmio Nobel.

— Não vá embora — repetiu o pintor. — Vou terminar em cinco minutos. Peça o que quiser e ponha na minha conta.

Como que hipnotizada pela ordem, ela sentou-se no bar, pediu um coquetel de anis (como não costumava beber, a única coisa que lhe ocorreu foi imitar o tal prêmio Nobel) e ficou olhando o homem trabalhar. "Não represento a cidade, por isso ele deve estar interessado em outra coisa. Mas não faz meu tipo", pensou automaticamente, repetindo o que sempre dizia a si mesma, desde que começara a trabalhar no Copacabana; era sua tábua de salvação e sua renúncia voluntária às armadilhas do coração.

Tendo isso bem claro, não custava esperar um pouco — talvez a moça no balcão estivesse certa, e aquele homem pudesse abrir as portas de um mundo que não conhecia, mas com o qual sempre sonhara: afinal de contas, não tinha pensado em seguir a carreira de modelo?

Ficou observando a agilidade e a rapidez com que ele concluía o seu trabalho — pelo visto era uma tela muito grande, mas estava completamente dobrada, e ela não podia ver os outros rostos ali retratados. E se agora tivesse uma nova oportunidade? O homem (resolvera que era "homem", e não "rapaz", porque senão iria começar a sentir-se velha demais para sua idade) não parecia o tipo que faz aquela proposta apenas para passar uma noite com ela. Cinco minutos depois, conforme prometera, ele havia terminado seu trabalho, enquanto Maria se concentrava no Brasil, no seu futuro brilhante e na absoluta falta de interesse que tinha em conhecer pessoas novas — que pudessem colocar todos aqueles planos em risco.

— Obrigado, já pode mudar de posição — disse o pintor para o químico, que pareceu acordar de um sonho. E, virando-se para Maria, disse sem rodeios:
— Vá para aquele canto e fique à vontade. A luz está ótima.

Como se tudo já estivesse combinado pelo destino, como se fosse a coisa mais natural do mundo, como se sempre em sua vida tivesse conhecido aquele homem, ou tivesse vivido aquele momento em sonhos e agora soubesse o que fazer na vida real, Maria pegou o copo de anis, a bolsa e os livros sobre administração de fazendas e dirigiu-se ao lugar indicado pelo homem — uma mesa perto da janela. Ele trouxe os pincéis, a tela grande, uma série de pequenos vidros cheios de tinta de diversas cores, um maço de cigarros e ajoelhou-se aos seus pés.

— Fique sempre na mesma posição.

— É pedir demais; minha vida está sempre em movimento.

Era uma frase que considerava brilhante, mas o rapaz não deu a menor atenção. Maria, procurando manter a naturalidade, porque o olhar dele a deixava muito desconfortável, apontou para o lado de fora da janela, onde se viam a rua e a placa:

— O que é "Caminho de Santiago?"

— Uma rota de peregrinação. Na Idade Média, gente

de toda a Europa passava por esta rua em direção a uma cidade na Espanha, Santiago de Compostela.

Ele dobrou uma parte da tela e preparou os pincéis.

Maria continuava sem saber direito o que fazer.

— Quer dizer que, se eu seguir por esta rua, chego à Espanha?

— Dois ou três meses depois. Mas posso lhe pedir um favor? Fique em silêncio; isso não demora mais que dez minutos. E tire o pacote da mesa.

— São livros — respondeu ela, com uma certa dose de irritação por causa do tom autoritário do pedido. Ele precisava saber que estava diante de uma mulher culta, que gastava seu tempo em bibliotecas, não em lojas. Mas ele mesmo pegou o pacote e colocou-o no chão, sem cerimônia.

Não tinha conseguido impressioná-lo. Aliás, não tinha a menor intenção de impressioná-lo, estava fora do seu horário de trabalho, guardaria a sedução para mais tarde, com homens que pagavam bem pelo seu esforço. Por que tentar relacionar-se com aquele pintor, que talvez não tivesse dinheiro nem para convidá-la para um café? Um homem de trinta anos não deve usar cabelos compridos, fica ridículo. Por que achava que não tinha dinheiro? A moça do bar dissera que era uma pessoa conhecida — ou será que o químico é que era famoso? Olhou a maneira como estava vestido, mas não adiantou muito; a vida tinha lhe ensinado que homens vestidos displicentemente — como era o caso — pareciam sempre ter mais dinheiro do que os que usavam terno e gravata.

"O que faço pensando neste homem? O que me interessa é o quadro."

Dez minutos não eram um preço muito grande a pagar pela chance de tornar-se imortal em uma pintura. Viu que ele a estava pintando ao lado do tal químico premiado e começou a se perguntar se iria pedir algum tipo de pagamento no final.

— Vire o rosto em direção à janela.

Mais uma vez ela obedeceu, sem perguntar nada — o que não era absolutamente o seu feitio. Ficou olhando as pessoas que passavam, a placa sobre o tal caminho, imaginando que aquela rua já estava ali havia muitos séculos, uma rota que sobrevivera ao progresso, às mudanças do mundo, às próprias mudanças do homem. Talvez fosse um bom presságio, aquele quadro podia ter o mesmo destino, estar em um museu dali a quinhentos anos.

O homem começou a desenhar e, à medida que o trabalho progredia, ela perdeu a alegria inicial e começou a sentir-se insignificante. Quando entrara naquele bar, era uma mulher segura de si, capaz de tomar uma decisão muito difícil: abandonar um trabalho que lhe dava dinheiro para aceitar um desafio ainda maior — dirigir uma fazenda na sua terra. Agora, parecia ter voltado a sensação de insegurança diante do mundo, coisa que uma prostituta jamais pode se dar ao luxo de sentir.

Terminou descobrindo a razão de seu desconforto: pela primeira vez em muitos meses, alguém não a olhava como um objeto, nem como uma mulher — mas como algo que não conseguia entender, embora a definição mais próxima fosse "ele está vendo a minha alma, meus medos, minha fragilidade, minha incapacidade de lutar com um mundo que eu finjo dominar, mas do qual não sei nada".

Ridículo, continuava delirando.

— Eu gostaria que...

— Por favor, não fale — disse o homem. — Estou vendo sua luz.

Nunca ninguém lhe dissera isso. "Estou vendo seus seios duros", "estou vendo suas coxas bem torneadas", "estou vendo esta beleza exótica dos trópicos", ou, no máximo, "estou vendo que você quer sair desta vida, por que não me dá uma chance e monto um apartamento para você?". Estes eram os comentários que estava acostumada a escutar, mas... sua luz? Será que ele estava se referindo ao entardecer?

— Sua luz pessoal — ele completou, se dando conta de que ela não entendera nada.

Luz pessoal. Bem, ninguém podia estar mais longe da realidade do que aquele inocente pintor, que mesmo com seus possíveis trinta anos não tinha aprendido nada da vida. Como todos sabem, as mulheres amadurecem muito mais rápido que os homens, e Maria — embora não passasse noites em claro pensando em seus conflitos filosóficos — pelo menos uma coisa sabia: não possuía aquilo que o pintor chamava de "luz" e que ela interpretava como "um brilho especial". Era uma pessoa como todas as outras, sofria sua solidão em silêncio, tentava justificar tudo o que fazia, fingia ser forte quando estava muito fraca, fingia ser fraca quando se sentia forte, renunciara a qualquer paixão em nome de um trabalho perigoso, mas agora, já perto do final, tinha planos para o futuro e arrependimentos do passado — e uma pessoa assim não tem nada de "brilho especial". Aquilo devia ser apenas uma maneira de mantê-la calada e satisfeita de ficar ali, imóvel, fazendo papel de boba. "Luz pessoal. Podia ter escolhido outra coisa, como 'o seu perfil é lindo'."

Como a luz entra em uma casa? Se as janelas estiverem abertas. Como a luz entra em uma pessoa? Se a porta do amor estiver aberta. E, definitivamente, a sua não estava. Devia ser um péssimo pintor, não entendia nada.

— Acabei — disse ele, e começou a juntar seu material.

Maria não se mexeu. Tinha vontade de pedir para ver o quadro, mas ao mesmo tempo isso podia significar uma falta de educação, uma falta de confiança no que o outro tinha feito. A curiosidade, porém, falou mais alto. Ela pediu, e ele concordou.

Desenhara apenas seu rosto; parecia-se com ela, mas, se algum dia tivesse visto aquele quadro sem conhecer a modelo, diria que era alguém muito mais forte, cheia de uma "luz" que ela não conseguia ver refletida no espelho.

— Meu nome é Ralf Hart. Se quiser, posso pagar-lhe outro drinque.

— Não, obrigada.

Pelo visto, o encontro agora caminha da maneira tristemente prevista: o homem tenta seduzir a mulher.

— Por favor, mais dois drinques de anis — pediu, sem dar importância ao comentário de Maria.

O que tinha para fazer? Ler um aborrecido livro sobre administração de fazendas. Caminhar, como já fizera centenas de vezes, pela margem do lago. Ou conversar com alguém que vira nela uma luz que desconhecia, justamente na data marcada no calendário para o começo do fim de sua "experiência".

— O que você faz?

Esta era a pergunta que não queria ouvir, que a fizera evitar muitos encontros quando, por uma razão ou por outra, alguém se aproximava dela (o que acontecia raramente na Suíça, dada a natureza discreta dos seus habitantes). Qual seria a resposta possível?

— Trabalho em uma boate.

Pronto. Um enorme peso saiu de suas costas — e ficou contente por tudo o que aprendera desde que chegara à Suíça; perguntar (o que são os curdos? O que é o Caminho de Santiago?) e responder (trabalho em uma boate) sem importar-se com o que estão pensando.

— Acho que já a vi antes.

Maria sentiu que ele queria ir mais longe e saboreou sua pequena vitória; o pintor que minutos atrás lhe dava ordens, parecendo absolutamente seguro do que queria, agora voltava a ser um homem como todos os outros, inseguro diante de uma mulher que não conhecia.

— E esses livros?

Ela mostrou-os. Administração de fazendas. O homem pareceu ficar mais inseguro ainda.

— Trabalha com sexo?

Ele tinha arriscado. Será que ela se vestia como uma prostituta? De qualquer maneira, precisava ganhar tempo. Estava se examinando, aquilo começava a ser um jogo interessante, não tinha absolutamente nada a perder.

— Por que os homens só pensam nisso?

Ele tornou a colocar os livros na bolsa.

— Sexo e administração de fazendas. Duas coisas muito aborrecidas.

O quê? De repente, ela se sentia desafiada. Como podia falar tão mal de sua profissão? Bem, ele ainda não sabia em que ela trabalhava, estava apenas arriscando um palpite, mas não podia deixá-lo sem resposta.

— Pois eu penso que não há nada mais aborrecido do que a pintura. Uma coisa parada, um movimento que foi interrompido, uma fotografia que jamais é fiel ao original. Uma coisa morta, pela qual ninguém se interessa mais, a não ser os pintores — gente que se julga importante, culta e que não evoluiu como o resto do mundo. Já ouviu falar de Joan Miró? Eu nunca ouvi, a não ser por um árabe em um restaurante, e isso não mudou absolutamente nada em minha vida.

Não sabia se tinha ido longe demais, porque os drinques chegaram e a conversa foi interrompida. Os dois ficaram sem dizer palavra por algum tempo. Maria pensou que já estava na hora de ir, e talvez Ralf Hart tivesse pensado a mesma coisa. Mas ali ainda estavam dois copos cheios daquela bebida horrorosa, e isso era um pretexto para continuarem juntos.

— Por que o livro sobre fazendas?

— O que você quer dizer?

— Já estive na Rue de Berne. Depois que você me disse onde trabalhava, me lembrei que já a vi antes: naquela boate cara. Entretanto, enquanto a pintava, não me dei conta: sua "luz" estava muito forte.

119

Maria sentiu que o chão fugia dos seus pés. Pela primeira vez sentiu vergonha do que fazia, embora não tivesse a menor razão para isso, trabalhava para sustentar a si mesma e a sua família. Ele é quem devia sentir vergonha de ir à Rue de Berne; de um momento para outro, todo aquele possível encanto havia desaparecido.

— Escute, Sr. Hart, embora eu seja brasileira, moro há nove meses na Suíça. E aprendi que os suíços são discretos porque vivem em um país muito pequeno, quase todos se conhecem, como acabamos de ver, razão pela qual ninguém pergunta pela vida do outro. Seu comentário foi impróprio e muito indelicado — mas, se seu objetivo foi me humilhar para sentir-se mais à vontade, o senhor perdeu seu tempo. Obrigada pelo licor de anis, que é horroroso, mas que vou tomar até o final. E vou fumar um cigarro depois. E, finalmente, vou me levantar e irei embora. Mas o senhor pode sair neste momento, já que não é bom para pintores famosos se sentarem à mesa com uma prostituta. Porque é isso que sou, sabe? Uma prostituta. Sem nenhuma culpa, dos pés à cabeça, de alto a baixo — uma prostituta. E esta é a minha virtude: não enganar nem a mim, nem ao senhor. Porque não vale a pena, o senhor não merece uma mentira. Imagine se o químico famoso, ali no outro lado do restaurante, descobrir quem sou?

Ela começou a levantar a voz.

— Uma prostituta! E sabe o que mais? Isso me deixa livre — saber que vou embora desta maldita terra daqui a exatos noventa dias, cheia de dinheiro, muito mais culta, capaz de escolher um bom vinho, com a bolsa re-

cheada de fotos que tirei na neve e entendendo a natureza dos homens!

A moça do bar escutava, assustada. O químico parecia não prestar atenção. Mas talvez fosse o álcool, talvez a
sensação de que em breve seria de novo uma mulher do
interior, talvez a satisfação de poder dizer em que trabalhava e rir das reações chocadas, dos olhares de crítica,
dos gestos de escândalo.

— Entendeu bem, Sr. Hart? De alto a baixo, dos pés
à cabeça, sou uma prostituta, e esta é a minha qualidade,
a minha virtude!

Ele não disse nada. E não se moveu. Maria sentiu sua
confiança voltando.

— E o senhor é um pintor que não entende de seus
modelos. Talvez o químico sentado ali, distraído, dormindo, seja na verdade um ferroviário. E todas as outras
pessoas no seu quadro sejam sempre aquilo que não são.
Se não fosse assim, jamais diria que podia ver uma "luz
especial" em uma mulher que, como descobriu durante
a pintura, NÃO PASSA DE UMA PROS-TI-TU-TA!

As palavras finais foram pronunciadas lentamente,
em voz alta. O químico acordou, e a moça do bar trouxe
a conta.

— Não tem nada a ver com a prostituta, mas com a
mulher que você é. — Ralf ignorou a conta e respondeu
também pausadamente, mas em voz baixa. — Tem brilho. A luz que vem da força de vontade, de alguém que
sacrifica coisas importantes em nome de outras coisas
que julga mais importantes ainda. Os olhos — esta luz se
manifesta nos olhos.

Maria sentiu-se desarmada; ele não aceitara sua provocação. Quis acreditar que desejava seduzi-la, nada mais. Estava proibida de pensar — pelo menos pelos próximos noventa dias — que existem homens interessantes na face da Terra.

— Você está vendo esse licor de anis diante de você? — ele continuou. — Pois você vê apenas um licor de anis. Eu, entretanto, como preciso entrar naquilo que faço, vejo a planta de onde nasceu, as tempestades que essa planta enfrentou, a mão que colheu os grãos, a viagem de navio de um outro continente até aqui, os cheiros e cores que essa planta, antes de ser colocada no álcool, deixou que a tocassem e que fizessem parte dela. Se algum dia eu pintasse esta cena, pintaria tudo isso — embora, ao ver o quadro, você acreditasse que estava diante de um simples copo de licor de anis.

"Da mesma maneira, enquanto você olhava a rua e pensava — porque sei que pensava — no Caminho de Santiago, eu pintei sua infância, sua adolescência, seus sonhos desfeitos no passado, seus sonhos com o futuro, sua vontade — que mais me intriga. Quando você se viu no quadro..."

Maria abriu a guarda, sabendo que seria muito difícil fechá-la dali em diante.

— Eu vi essa luz... embora ali estivesse apenas uma mulher parecida com você.

De novo veio o silêncio constrangedor. Maria olhou o relógio.

— Preciso ir dentro de poucos minutos. Por que você disse que sexo é aborrecido?

— Você deve saber melhor do que eu.

— Eu sei porque trabalho nisso. Então faço a mesma coisa todos os dias. Mas você é um homem de trinta anos...

— Vinte e nove...

— ... jovem, atraente, famoso, que devia ainda estar interessado nessas coisas, e não precisava ir à Rue de Berne para arranjar companhia.

— Precisava, sim. Fui para a cama com algumas de suas colegas, não porque tivesse problemas para arranjar companhia. Meu problema é comigo mesmo.

Maria sentiu uma ponta de ciúme e ficou apavorada. Entendia agora que realmente precisava ir.

— Era minha última tentativa. Agora desisti — disse Ralf, começando a juntar o material espalhado pelo chão.

— Você tem algum problema físico?

— Nenhum. Apenas desinteresse.

Não era possível.

— Pague a conta. Vamos caminhar. Na verdade, acho que muita gente sente a mesma coisa, mas ninguém diz. É bom conversar com alguém tão sincero.

Saíram pelo Caminho de Santiago, era uma subida e uma descida que terminava no rio, que terminava no lago, que terminava nas montanhas, que terminava em um remoto lugar da Espanha. Passaram por gente que voltava do almoço, mães com seus carrinhos de bebê, turistas que tiravam fotos do belo jato de água no meio do lago, mulheres muçulmanas com a cabeça coberta por um lenço, rapazes e moças fazendo jogging, todos peregrinos em busca desta cidade mitológica, Santiago de

Compostela, que talvez nem mesmo existisse, fosse uma lenda na qual as pessoas precisam acreditar para dar sentido a suas vidas. No caminho percorrido por tanta gente, há tanto tempo, também andavam aquele homem de cabelos longos, carregando uma pesada sacola cheia de pincéis, tintas, telas, lápis, e a moça um pouco mais jovem, com uma bolsa cheia de livros sobre administração de fazendas. A nenhum dos dois ocorreu perguntar por que faziam aquela peregrinação juntos, era a coisa mais normal do mundo, ele sabia tudo sobre ela, embora ela nada soubesse sobre ele.

E, por causa disso, resolveu perguntar — agora perguntava tudo. No começo ele fez o gênero modesto, mas ela sabia como conseguir qualquer coisa de um homem, e ele terminou contando que tinha sido casado duas vezes (recorde para alguém de vinte e nove anos!), viajado muito, conhecido reis, atores famosos, festas inesquecíveis. Nascera em Genève, morara em Madri, Amsterdã, Nova York, e numa cidade no sul da França, chamada Tarbes, que não estava em nenhum circuito turístico importante, mas que ele adorava por causa da proximidade das montanhas e do calor no coração de seus habitantes. Seu talento fora descoberto aos vinte anos, quando um grande negociante de arte, em visita à sua cidade natal, fora comer, por acaso, em um restaurante japonês decorado com seus trabalhos. Ganhara muito dinheiro, era jovem e saudável, podia fazer qualquer coisa, ir para qualquer lugar, encontrar-se com quem desejasse, já vivera todos os prazeres que um homem pode viver, fazia o que gostava, e, no entanto, apesar de tudo aquilo — fama, dinheiro, mulheres, viagens —, era um homem infeliz, que tinha apenas uma alegria na vida: o trabalho.

— As mulheres o fizeram sofrer? — perguntou ela, logo se dando conta de que era uma pergunta idiota, provavelmente escrita em um manual sobre *Todas as coisas que as mulheres devem saber para conquistar um homem.*

— Nunca me fizeram sofrer. Fui muito feliz em cada um de meus casamentos. Fui traído e traí como qualquer casal normal. Entretanto, depois de passado algum tempo, não me interessava mais o sexo. Continuava amando, sentindo falta da companhia, mas o sexo... por que estamos falando de sexo?

— Porque, como você mesmo disse, eu sou uma prostituta.

— Minha vida não tem grande interesse. Um artista que conseguiu fazer sucesso ainda jovem, o que é raro, e em pintura, o que é raríssimo, que hoje em dia pode pintar qualquer tipo de quadro, que valerá um bom dinheiro, embora os críticos fiquem furiosos, achando que só eles sabem o que é "arte". Uma pessoa que todos acham ter resposta para tudo, e quanto mais calado fico mais inteligente me consideram.

Ele continuou a contar sua vida: todas as semanas era convidado para alguma coisa, em algum lugar do mundo. Tinha uma agente que vivia em Barcelona — sabia onde era? Sim, Maria sabia, era na Espanha. A tal agente se ocupava de tudo o que se referia a dinheiro, convites, exposições, mas jamais o pressionava para fazer o que não tivesse vontade, já que, depois de muitos anos de trabalho, tinham conseguido uma certa estabilidade no mercado.

— É uma história interessante? — Sua voz denotava um pouco de insegurança.

— Eu diria que é uma história muito diferente. Muita gente gostaria de estar na sua pele.

Ralf quis saber de Maria.

— Eu sou três, dependendo da pessoa que me procura. A Menina Ingênua, que fica olhando o homem com admiração e finge estar impressionada com suas histórias de poder e de glória. A Mulher Fatal, que logo ataca aqueles que se sentem mais inseguros e, ao agir assim, tomando o controle da situação, os deixa à vontade, porque eles não precisam se preocupar com mais nada. E, finalmente, a Mãe Compreensiva, que cuida dos que precisam de conselhos e escuta, com ar de quem compreende tudo, histórias que entram por um ouvido e saem pelo outro. Qual das três você quer conhecer?

— Você.

Maria contou tudo, porque precisava contar — era a primeira vez que fazia isso, desde que saíra do Brasil. Ao final, descobriu que, mesmo com seu emprego não muito convencional, nada acontecera de muito emocionante além da semana no Rio e do primeiro mês na Suíça. Era casa, trabalho, casa, trabalho — e nada mais.

Quando terminou, estavam de novo sentados em um bar — desta vez do outro lado da cidade, longe do Caminho de Santiago, cada qual pensando no que o destino havia reservado para o outro.

— Está faltando alguma coisa? — perguntou ela.

— Como dizer "até logo"?

Sim. Porque não tinha sido uma tarde como todas as outras. Ela sentia-se angustiada, tensa, por ter aberto uma porta e não saber como fechá-la.

— Quando poderei ver a tela?

Ralf lhe estendeu o cartão de sua agente em Barcelona.

— Telefone para ela daqui a seis meses, se ainda estiver na Europa. *As faces de Genève: gente famosa e gente anônima* será exposta pela primeira vez em uma galeria em Berlim. Depois irá fazer um tour pela Europa.

Maria lembrou-se do calendário, dos noventa dias que faltavam, de tudo o que qualquer relação, qualquer laço, poderia significar de perigoso.

"O que é mais importante nesta vida? Viver ou fingir que vivi? Arriscar agora, dizer que foi a tarde mais bela que passei nesta cidade? Agradecer porque ele me escutou sem críticas e sem comentários? Ou simplesmente vestir a couraça da mulher com força de vontade, com 'luz especial', e partir sem nenhum comentário?"

Enquanto andavam pelo Caminho de Santiago, e à medida que escutava a si mesma contando sua vida, ela fora uma mulher feliz. Podia contentar-se com isso — já era um grande presente da vida.

— Vou procurá-la — disse Ralf Hart.

— Não faça isso. Viajo em breve para o Brasil. Não temos mais nada a acrescentar um ao outro.

— Vou procurá-la como cliente.

— Isso será uma humilhação para mim.

— Vou procurá-la para que me salve.

Ele fizera aquele comentário no início, sobre o desinteresse por sexo. Quis dizer que sentia a mesma coisa, mas controlou-se — tinha ido longe demais em suas negativas, era mais inteligente ficar quieta.

Que coisa patética. Mais uma vez estava ali com um menino, que desta vez não lhe pedia um lápis, mas um pouco de companhia. Olhou para o seu passado e, pela primeira vez, perdoou a si mesma: a culpa não fora dela, mas do garoto inseguro, que havia desistido na primeira tentativa. Eram crianças, e as crianças agem assim — nem ela nem o menino estavam errados, e isso lhe deu um grande alívio, sentiu-se melhor, não traíra sua primeira oportunidade na vida. Todos fazem isso, é parte da iniciação do ser humano em busca de sua outra parte, coisas assim acontecem.

Agora a situação, no entanto, era diferente. Por melhores que fossem as razões (vou para o Brasil, trabalho em uma boate, não tivemos tempo de nos conhecer bem, não estou interessada em sexo, não quero saber de amor, preciso aprender a administrar fazendas, não entendo nada de pintura, vivemos em mundos diferentes), a vida lhe impunha um desafio. Não era mais criança, precisava escolher.

Preferiu não responder. Apertou sua mão, como era o costume naquela terra, e partiu em direção a sua casa. Se ele fosse mesmo o homem que gostaria que fosse, não se deixaria intimidar por seu silêncio.

* * *

TRECHO DO DIÁRIO DE MARIA, escrito naquele mesmo dia:

Hoje, enquanto andávamos em volta do lago, por esse estranho Caminho de Santiago, o homem que estava comigo — um pintor, uma vida diferente da minha — jogou uma pedrinha na água. No lugar onde a pedra caiu, apareceram pequenos círculos que foram se ampliando, se expandindo, até atingirem um pato que passava por ali casualmente e nada tinha a ver com a pedra. Em vez de ficar assustado com a onda inesperada, ele resolveu brincar com ela.

Algumas horas antes dessa cena, entrei em um café, escutei uma voz, e foi como se Deus tivesse atirado uma pedrinha naquele lugar. As ondas de energia tocaram a mim e a um homem que estava em um canto, pintando um quadro. Ele sentiu a vibração da pedra, eu também. E agora?

O pintor sabe quando encontra um modelo. O músico sabe quando o seu instrumento está afinado. Aqui, neste meu diário, eu tenho consciência de que certas frases não são escritas por mim, mas por uma mulher cheia de "luz", que sou e me recuso a aceitar.

Posso continuar assim. Mas posso também, como o patinho no lago, divertir-me e alegrar-me com a marola que chegou de repente e desequilibrou a água.

Existe um nome para essa pedra: paixão. Ela pode descrever a beleza de um encontro fulminante entre duas pessoas, mas não se limita a isso. Está na excitação do inesperado, na vontade de fazer alguma coisa com fervor, na certeza de que se vai conseguir realizar um sonho. A paixão nos dá sinais que nos guiam a vida — e cabe a mim saber decifrar estes sinais.

Gostaria de acreditar que estou apaixonada. Por alguém que não conheço e que não estava nos meus planos. Todos es-

ses meses de autocontrole, de recusa do amor, resultaram exatamente no oposto: deixar-me levar pela primeira pessoa que me deu uma atenção diferente.

Ainda bem que não peguei seu telefone, que não sei onde mora, que posso perdê-lo sem me culpar por ter desperdiçado a oportunidade.

E, se for esse o caso, mesmo que já o tenha perdido, ganhei um dia feliz na minha vida. Considerando o mundo como ele é, um dia feliz é quase um milagre.

Quando entrou no Copacabana aquela noite, ele estava lá, esperando. Era o único freguês. Milan, que acompanhava a vida daquela brasileira com certa curiosidade, viu que a menina havia perdido a batalha.

— Aceita um drinque?

— Preciso trabalhar. Não posso perder meu emprego.

— Sou um cliente. Estou fazendo uma proposta profissional.

Aquele homem, que durante a tarde, no café, parecia tão seguro de si, que manejava bem o pincel, encontrava grandes personagens, tinha uma agente em Barcelona e devia ganhar muito dinheiro, agora mostrava sua fragilidade, entrara em um ambiente que não devia, não estava mais em um romântico café no Caminho de Santiago. O encanto da tarde desapareceu.

— Então, aceita o drinque?

— Aceito outra hora. Hoje já tenho clientes que me esperam.

Milan escutou o final da frase; estava enganado, a menina não se deixara levar pela armadilha das promessas de amor. Mesmo assim, no final de uma noite sem muito movimento, ficou se perguntando por que ela havia preferido a companhia de um velho, de um contador medíocre e de um agente de seguros.

Bem, o problema era dela. Desde que pagasse a sua comissão, não cabia a ele decidir com quem devia ou não ir para a cama.

* * *

DO DIÁRIO DE MARIA, após a noite com o velho, o contador e o agente de seguros:

O que esse pintor quer de mim? Não sabe que somos de países, culturas, sexos diferentes? Pensa que sei mais sobre o prazer do que ele e quer aprender algo?

Por que não me disse nada além de "sou um cliente"? Era tão fácil dizer "Senti sua falta", ou "Adorei a tarde que passamos juntos". Eu daria a mesma resposta (sou uma profissional), mas ele tem obrigação de entender minhas inseguranças, porque sou mulher, sou frágil, e naquele lugar sou uma outra pessoa.

Ele é um homem. E um artista. Tem a obrigação de saber que o grande objetivo do ser humano é compreender o amor total. O amor não está no outro, está dentro de nós mesmos; nós o despertamos. Mas, para este despertar, precisamos do outro. O Universo só faz sentido quando temos com quem dividir nossas emoções.

Ele está cansado de sexo? Eu também — e, no entanto, nem ele nem eu sabemos o que é isso. Estamos deixando morrer uma das coisas mais importantes da vida — precisava ser salva por ele, precisava salvá-lo, mas ele não me deixou nenhuma escolha.

Estava apavorada. Começava a perceber que, depois de tanto autocontrole, a pressão, o terremoto, o vulcão de sua alma dava sinais de querer explodir, e, a partir do momento em que isso acontecesse, não teria mais como controlar seus sentimentos. Quem era aquela droga de artista (que podia muito bem estar mentindo a respeito de sua vida) com quem passara não mais que algumas horas, que não a tocara, não tentara seduzi-la — podia haver algo pior do que isso?

Por que seu coração dava sinais de alarme? Porque achava que ele sentia a mesma coisa — mas, claro, estava muito enganada. Ralf Hart queria encontrar-se com a mulher capaz de despertar nele o fogo que estava quase se apagando; queria transformá-la em sua grande deusa do sexo, possuidora de uma "luz especial" (e nisso ele fora sincero), pronta a pegar sua mão e mostrar-lhe o caminho de volta à vida. Não podia imaginar que Maria sentia o mesmo desinteresse, tinha seus problemas (mesmo depois de tantos homens, nunca atingira o orgasmo durante a penetração), estivera fazendo planos aquela manhã e organizara uma volta triunfante à sua terra.

Por que pensava nele? Por que pensava em alguém

que neste exato momento podia estar pintando outra mulher, dizendo a ela que tinha uma "luz" especial, que podia ser sua deusa do sexo?

"Penso nele porque pude conversar."

Que ridículo! Pensava também na bibliotecária? Não. Pensava em Nyah, a filipina, única entre todas as mulheres do Copacabana com quem podia dividir um pouco de seus sentimentos? Não, não pensava. E eram pessoas com quem estivera muitas vezes, e com as quais se sentia à vontade.

Procurou desviar sua atenção para o calor que estava fazendo ou para o supermercado que não conseguira visitar no dia anterior. Escreveu uma longa carta para seu pai, cheia de detalhes a respeito do terreno que gostaria de comprar — isso deixaria sua família contente. Não marcou a data da volta, mas deu a entender que seria em breve. Dormiu, acordou, dormiu de novo, tornou a despertar. Descobriu que o livro sobre fazendas era muito bom para os suíços mas não servia para os brasileiros — os mundos eram completamente distintos.

Durante a tarde, viu que o terremoto, o vulcão, a pressão diminuía. Ficou mais relaxada; este tipo de paixão súbita já tinha acontecido outras vezes e terminava sempre no dia seguinte — que bom, o seu universo continuava o mesmo. Tinha uma família que a amava, um homem que a esperava e que agora lhe escrevia com muita frequência, contando que a loja de tecidos estava crescendo. Mesmo que resolvesse pegar o avião naquela noite, tinha dinheiro suficiente para pelo menos comprar um sítio. Ultrapassara a pior parte, a barreira da língua, a solidão, o primeiro dia no restaurante com o árabe, a maneira como convencera sua alma a não reclamar do que fazia com seu corpo. Sabia muito bem qual o seu sonho, e estava disposta a tudo por ele. E este sonho não incluía homens, por sinal. Pelo menos, não incluía homens que não falassem sua língua materna e que não vivessem em sua cidade.

Quando o terremoto acalmou, Maria entendeu que parte da culpa era sua. Porque não dissera, naquele momento: "Eu estou sozinha, sou tão miserável quanto você, ontem você viu minha 'luz', e foi a primeira coisa bonita e sincera que um homem me disse desde que cheguei aqui".

O rádio tocava uma velha canção: "Meus amores morrem antes mesmo de nascer". Sim, este era o seu caso, seu destino.

* * *

TRECHO DO DIÁRIO DE MARIA, dois dias depois de tudo voltar ao normal:

A paixão faz a pessoa parar de comer, dormir, trabalhar, estar em paz. Muita gente fica assustada porque, quando aparece, derruba todas as coisas velhas que encontra.

Ninguém quer desorganizar seu mundo. Por isso, muita gente consegue controlar essa ameaça, e é capaz de manter de pé uma casa ou uma estrutura que já está podre. São os engenheiros das coisas superadas.

Outras pessoas pensam exatamente o contrário: entregam-se sem pensar, esperando encontrar na paixão a solução para todos os seus problemas. Colocam na outra pessoa toda a responsabilidade por sua felicidade, e toda a culpa por sua possível infelicidade. Estão sempre eufóricas porque algo de maravilhoso aconteceu, ou deprimidas porque algo que não esperavam terminou destruindo tudo.

Afastar-se da paixão ou entregar-se cegamente a ela — qual dessas duas atitudes é a menos destruidora?

Não sei.

No terceiro dia, como se ressuscitado dos mortos, Ralf Hart voltou — e quase chega um pouco tarde, porque Maria já estava conversando com outro freguês. Quando o viu, porém, ela disse educadamente ao outro que não queria dançar, estava esperando alguém.

Só então se deu conta de que esperara por ele todos esses dias. E, neste momento, aceitou tudo que o destino colocara em seu caminho.

Não reclamou; ficou contente. Podia dar-se a esse luxo porque um dia iria partir daquela cidade, sabia que este amor era impossível e, portanto, já que não esperava nada, teria tudo o que ainda esperava daquela etapa de sua vida.

Ralf perguntou se ela queria um drinque, e Maria pediu um coquetel de frutas. O dono do bar, fingindo que lavava copos, olhou para a brasileira sem entender nada: o que a teria feito mudar de ideia? Esperava que não ficasse ali apenas tomando a bebida — e ficou aliviado quando ele a tirou para dançar. Estavam cumprindo o ritual, não havia motivo para preocupações.

Maria sentia a mão em volta de sua cintura, o rosto colado, o som muito alto que — graças a Deus — impedia qualquer conversa. Um coquetel de frutas não bastava para tomar coragem, e as poucas palavras que tinham trocado foram muito formais. Agora era uma questão de tempo: iriam para um hotel? Fariam amor? Não devia ser difícil, já que ele havia dito que não se interessava por sexo. Agora era apenas uma questão de cumprir seu compromisso profissional. Isso ajudaria a matar qualquer vestígio de uma possível paixão — não sabia por que havia se torturado tanto logo após o primeiro encontro.

Esta noite seria a Mãe Compreensiva. Ralf Hart era apenas um homem desesperado, como milhões de outros. Se desempenhasse bem o seu papel, se conseguisse seguir o roteiro que havia estabelecido para si mesma desde que começara a trabalhar no Copacabana, não teria com que se preocupar. Era muito arriscado ter aquele homem por perto, agora que sentia seu cheiro — e gostava —, experimentava seu toque — e gostava —, descobrira-se esperando por ele — e não gostava.

Em quarenta e cinco minutos já tinham cumprido todas as regras, e o homem se dirigira ao dono da boate:

"Vou levá-la para o resto da noite. Pagarei como se fossem três clientes."

O dono deu de ombros e pensou de novo que a moça brasileira ia terminar caindo na armadilha do amor. Maria, por sua vez, ficou surpresa: não sabia que Ralf Hart conhecia tão bem as regras.

— Vamos até minha casa.

"Talvez essa fosse mesmo a melhor decisão", pensou ela. Embora fosse contra todas as recomendações de Milan, neste caso resolveu abrir uma exceção. Além de descobrir de uma vez por todas se era casado ou não, conheceria a maneira de viver dos pintores famosos, e um dia poderia escrever qualquer coisa para o jornal de sua pequena cidade — de modo que todos ficassem sabendo que, durante seu período na Europa, ela frequentara círculos intelectuais e artísticos.

"Que desculpa absurda."

Meia hora depois chegaram a um pequeno vilarejo próximo de Genève, chamado Cologny; uma igreja, a padaria, a prefeitura, tudo em seu lugar. E era realmente uma casa de dois andares, não um apartamento! Primeira avaliação: devia ter mesmo dinheiro. Segunda avaliação: se fosse casado, não ousaria fazer aquilo, porque sempre havia gente olhando.

Então, era rico e solteiro.

Entraram por um hall com uma escada que levava ao segundo andar, mas seguiram direto até as duas salas na parte de trás, que davam para um jardim. Uma delas tinha uma mesa de jantar, e suas paredes eram cobertas de quadros. A outra sala tinha alguns sofás, cadeiras, estantes cheias de livros, cinzeiros sujos, copos que tinham sido usados havia muito tempo e que ainda permaneciam ali.

— Posso preparar um café.

Maria fez um sinal negativo com a cabeça. Não, não pode preparar um café. Ainda não pode me tratar diferente. Estou desafiando meus próprios demônios, fazendo exatamente tudo ao contrário do que prometi a mim mesma. Mas vamos com calma; hoje farei o papel de prostituta, ou de amiga, ou de Mãe Compreensiva, embora na minha alma eu seja uma Filha que precisa de carinho. Finalmente, quando tudo estiver terminado, você pode me preparar um café.

— No fundo do jardim está meu estúdio, minha alma. Aqui, entre todos estes quadros e livros, está meu cérebro, o que penso.

Maria pensou em sua própria casa. Não tinha um jardim nos fundos. Nem livros, apenas os emprestados da biblioteca — já que não havia necessidade de gastar dinheiro com o que podia conseguir de graça. Tampouco havia quadros — apenas um pôster do Circo Acrobático de Shanghai, a que ela sonhava assistir.

Ralf pegou uma garrafa de uísque e lhe ofereceu.

— Não, obrigada.

Ele serviu-se de uma dose, e virou tudo — sem gelo, sem tempo. Começou a falar coisas inteligentes, e, por mais que a conversa lhe interessasse, ela sabia que aquele homem estava com medo do que ia acontecer, agora que estavam sozinhos. Maria recuperava o controle da situação.

Ralf serviu outra dose para si mesmo e, como se estivesse dizendo alguma coisa sem importância, comentou:

— Preciso de você.

Uma pausa. Um silêncio longo. Não ajude a quebrar este silêncio, vamos ver como ele continua.

— Preciso de você, Maria. Você tem luz, embora ache que ainda não acredita em mim, ache que estou apenas tentando seduzi-la com esta conversa. Não me pergunte: "Por que eu? O que tenho de especial?". Você não tem nada de especial, nada que eu possa explicar a mim mesmo. Entretanto — eis o mistério da vida — não consigo pensar em outra coisa.

— Não iria lhe perguntar isso — mentiu.

— Se eu procurasse uma explicação, diria: a mulher que está diante de mim conseguiu superar o sofrimento e transformá-lo em algo positivo, criativo. Mas isso não basta para explicar tudo.

Estava ficando difícil escapar. Ele continuou:

— E eu? Com toda a minha criatividade, com meus quadros que são disputados e desejados por galerias em todo o mundo, com o meu sonho realizado, com a minha aldeia sabendo que sou um filho querido, com as minhas mulheres jamais me cobrando pensão ou coisas assim, com saúde, boa aparência, tudo o que um homem pode sonhar, e eu? Aqui estou, dizendo para uma mulher que encontrei em um café e com quem passei apenas uma tarde: "Preciso de você". Sabe o que é solidão?

— Sei o que é.

— Mas não sabe o que é solidão quando se tem a possibilidade de estar com todo mundo, quando se recebe todas as noites um convite para uma festa, um coquetel, uma estreia de teatro. Quando o telefone toca sempre, e são mulheres que adoram o seu trabalho, que dizem que gostariam muito de jantar com você — são belas, inteligentes, educadas. E algo te empurra para longe e te diz: não vá. Você não vai se divertir. Mais uma vez você ficará a noite inteira tentando impressioná-las, gastará sua energia provando para si mesmo como é capaz de seduzir o mundo.

"Então fico em casa, entro em meu estúdio, procuro a luz que vi em você, e só consigo ver essa luz enquanto estou trabalhando."

— O que posso lhe dar que você já não tenha? — respondeu ela, sentindo-se um pouco humilhada por aquele comentário sobre outras mulheres, mas lembrando-se de que, afinal de contas, ele tinha pagado para tê-la ao seu lado.

Ele bebeu a terceira dose. Maria acompanhou-o em sua imaginação, o álcool queimando sua garganta, seu estômago, entrando em sua corrente sanguínea e enchendo-o de coragem, e ela sentindo-se também embriagada, embora não tivesse bebido uma só gota. A voz de Ralf Hart soou mais firme:

— Está bem. Não posso comprar seu amor, mas você disse que conhecia tudo sobre sexo. Ensine-me, então. Ou me ensine algo sobre o Brasil. Qualquer coisa, desde que possa estar ao seu lado.

E agora?

— Só conheço duas cidades do meu país: aquela em que nasci e o Rio de Janeiro. Quanto ao sexo, não acredito que possa lhe ensinar nada. Tenho quase vinte e três anos, você é apenas seis anos mais velho, mas sei que viveu muito mais intensamente. Conheço homens que me pagam para fazer o que eles querem, e não o que eu quero.

— Já fiz tudo o que um homem pode sonhar fazer com uma, duas, três mulheres ao mesmo tempo. E não sei se aprendi muito.

De novo o silêncio, só que era a vez de Maria falar. E ele não ajudou — como ela não o ajudara antes.

— Você me quer como uma profissional?

— Eu a quero como você quiser.

Não, ele não podia ter respondido isso — porque era tudo o que ela desejava escutar. De novo o terremoto, o vulcão, a tempestade. Ia ser impossível escapar de sua própria armadilha, ia perder este homem, sem jamais tê-lo verdadeiramente.

— Você sabe, Maria. Ensine-me. Talvez isso me salve, salve a nós dois, nos traga de volta à vida. Tem razão, tenho apenas mais seis anos do que você, e mesmo assim já vivi o equivalente a muitas vidas. Passamos por experiências completamente distintas, mas estamos ambos desesperados. A única coisa que nos deixa em paz é estarmos juntos.

Por que ele dizia essas coisas? Não era possível, e mesmo assim era verdade. Tinham se visto apenas uma vez e já precisavam um do outro. Imagine se continuassem se encontrando, que desastre! Maria era uma mulher inteligente, com muitos meses de leituras e observação do gênero humano; tinha um propósito na vida, mas também tinha uma alma, que precisava conhecer e cuja "luz" tinha de descobrir.

Já estava ficando cansada de ser quem era e, embora a viagem próxima para o Brasil fosse um desafio interessante, ainda não aprendera tudo o que podia. Ralf Hart era um homem que havia aceitado desafios, aprendera tudo, e agora pedia àquela moça, àquela prostituta, àquela Mãe Compreensiva, que o salvasse. Que absurdo!

Outros homens já haviam se comportado da mesma maneira diante dela. Muitos não tinham conseguido ter

143

uma ereção, outros queriam ser tratados como crianças, outros ainda diziam que gostariam de tê-la como esposa porque se excitavam ao saber que a mulher tivera muitos amantes. Embora ainda não tivesse conhecido nenhum dos "clientes especiais", já descobrira o gigantesco universo de fantasias que habitava a alma humana. Mas todos estavam acostumados com seus mundos, e nunca lhe haviam pedido: "Leve-me embora daqui". Pelo contrário, queriam carregar Maria consigo.

E, mesmo que todos esses muitos homens sempre lhe tivessem deixado com algum dinheiro e sem nenhuma energia, não era possível que ela não tivesse aprendido nada. Entretanto, se algum deles realmente estivesse procurando o amor, e se o sexo fosse apenas uma parte nessa busca, como ela gostaria de ser tratada? O que seria importante acontecer no primeiro encontro?

O que realmente gostaria que acontecesse?

— Ganhar um presente — disse Maria.

Ralf Hart não entendeu. Presente? Ele já lhe pagara adiantado pela noite, no táxi, porque conhecia o ritual. O que queria dizer com aquilo?

Maria de repente se dera conta de que entendia, naquele minuto, o que uma mulher e um homem precisavam sentir. Pegou-o pela mão e o conduziu até uma das salas.

— Não vamos subir para o quarto — disse.

Apagou quase todas as luzes, sentou-se no tapete e pediu que ele se sentasse diante dela. Notou que havia uma lareira no lugar.

— Acenda a lareira.

— Mas estamos no verão.

— Acenda a lareira. Você deseja que eu conduza nossos passos esta noite, e eu estou fazendo isso.

Ela olhou firme, esperando que ele enxergasse de novo a sua "luz". Ele enxergou — porque foi até o jardim, pegou umas toras de madeira molhadas pela chuva, colocou alguns jornais velhos para fazer com que o fogo secasse as toras e as acendesse. Foi até a cozinha para pegar mais uísque, mas Maria o interrompeu.

— Você me perguntou o que eu queria?

— Não perguntei.

— Pois saiba que a pessoa que está com você tem de existir. Pense nela. Pense se ela deseja uísque, ou gim, ou café. Pergunte o que ela quer.

— O que você quer beber?

— Vinho. E gostaria que me acompanhasse.

Ele deixou a garrafa de uísque e voltou com uma de vinho. Àquela altura, o fogo já queimava as toras; Maria apagou as poucas luzes que tinham ficado acesas, deixando que apenas as chamas iluminassem o ambiente. Comportava-se como se sempre tivesse sabido que aquele era o primeiro passo: reconhecer o outro, saber que está ali.

Abriu a bolsa e achou lá dentro uma caneta que comprara em um supermercado. Qualquer coisa servia.

— Isto é para você. Quando comprei, pensava em ter algo para anotar as ideias sobre administração de fazendas. Usei-a durante dois dias, trabalhei até ficar cansada. Ela tem um pouco do meu suor, da minha concentração, da minha vontade, e eu a estou lhe entregando agora.

Depositou a caneta suavemente em sua mão.

— Em vez de comprar-lhe algo que você gostaria

de ter, estou lhe dando algo que é meu, realmente meu. Um presente. Um sinal de respeito pela pessoa diante de mim, pedindo que ela compreenda quão importante é estar ao seu lado. Agora ela tem consigo uma pequena parte de mim mesma, que entreguei de livre e espontânea vontade.

Ralf levantou-se, foi até a estante e voltou com um objeto. Estendeu-o para Maria:

— Este é o vagão de um trem elétrico que eu ganhei quando era menino. Não tinha autorização para brincar com ele sozinho, porque meu pai dizia que era caro, importado dos Estados Unidos. Então, só me restava esperar que ele tivesse vontade de montar o trem no meio da sala — mas geralmente ele passava os domingos escutando ópera. Por isso, o trem sobreviveu à minha infância, mas não me deu nenhuma alegria. Lá em cima tenho guardados todos os trilhos, a locomotiva, as casas, até mesmo o manual; porque eu tinha um trem que não era meu, com o qual eu não brincava.

"Oxalá tivesse sido destruído como todos os outros brinquedos que ganhei e de que nem me lembro, porque esta paixão de destruir faz parte da maneira com que a criança descobre o mundo. Mas este trem intacto me lembra sempre uma parte da minha infância que eu não vivi, porque era preciosa demais ou trabalhosa demais para o meu pai. Ou talvez porque, cada vez que montava o trem, tivesse medo de demonstrar seu amor por mim."

Maria começou a olhar fixamente o fogo na lareira. Algo estava acontecendo — e não era o vinho, nem o ambiente acolhedor. Era a entrega de presentes.

Ralf também se virou para o fogo. Ficaram calados, escutando o crepitar das chamas. Beberam vinho, como se não fosse importante dizer nada, fazer nada. Apenas estar ali, um com o outro, olhando na mesma direção.

— Tenho muitos trens intactos na minha vida — disse Maria depois de um tempo. — Um deles é o meu coração. Também só brincava com ele quando o mundo colocava os trilhos, e nem sempre era o momento certo.

— Mas você amou.

— Sim, eu amei. Amei muito. Amei tanto que, quando o meu amor me pediu um presente, eu tive medo e fugi.

— Não entendo.

— Não precisa. Estou lhe ensinando, porque descobri algo que não sabia. O presente. A entrega de alguma coisa que é sua. Dar antes de pedir algo que seja importante. Você tem meu tesouro: a caneta com que escrevi alguns de meus sonhos. Eu tenho seu tesouro: o vagão de trem, parte da infância que você não viveu.

"Eu agora carrego comigo parte do seu passado, e você guarda consigo um pouco do meu presente. Que bom."

Disse tudo isso sem pestanejar, sem estranhar seu comportamento, como se soubesse há muito tempo que esta era a melhor e única maneira de agir. Levantou-se com suavidade, pegou seu casaco no cabide e deu-lhe um beijo no rosto. Ralf Hart em nenhum momento fez qualquer menção de levantar-se de onde estava, hipnotizado pelo fogo, possivelmente pensando em seu pai.

— Nunca entendi direito por que guardava esse vagão. Hoje ficou claro: para entregar-lhe em uma noite de lareira acesa. Agora esta casa fica mais leve.

Ele disse que, no dia seguinte, iria doar a algum asilo o resto dos trilhos, locomotivas e pastilhas que imitavam fumaça.

— Talvez hoje esse trem seja uma raridade que não se fabrica mais e valha muito dinheiro — advertiu Maria, para logo se arrepender. Não se tratava disso, mas de livrar-se de algo que custa ainda mais caro ao nosso coração.

Antes que tornasse a dizer coisas que não combinavam com o momento, tornou a dar-lhe um beijo no rosto e dirigiu-se até a porta. Ele ainda continuava olhando o fogo, e ela pediu, delicadamente, que viesse abri-la.

Ralf levantou-se e ela explicou que, embora estivesse contente de vê-lo olhando o fogo, queria que ele viesse abrir-lhe a porta, pois os brasileiros tinham uma estranha superstição: quando visitam alguém pela primeira vez, não podem abrir a porta na hora da saída, porque se fizerem isso jamais retornarão àquela casa.

— E eu quero voltar.

— Embora não tenhamos tirado a roupa e eu não tenha entrado em você, nem sequer a tenha tocado, nós fizemos amor.

Ela riu. Ele ofereceu-se para levá-la para casa, mas Maria recusou.

— Irei vê-la amanhã, no Copacabana.

— Não faça isso. Espere uma semana. Aprendi que esperar é a parte mais difícil, e quero também me acostumar com isso; saber que você está comigo, mesmo que não esteja ao meu lado.

Andou de novo pelo frio e pela escuridão da noite, como já tinha feito tantas vezes em Genève. Normalmente essas caminhadas estavam associadas a tristeza, solidão, vontade de voltar para o Brasil, saudades da língua que não falava havia muito tempo, cálculos financeiros, horários.

Hoje, porém, caminhava para encontrar a si mesma, encontrar aquela mulher que durante quarenta minutos esteve diante do fogo com um homem, e era cheia de luz, de sabedoria, de experiência, de encanto. Vira o rosto desta mulher fazia algum tempo, quando passeava pelo lago pensando se devia ou não se dedicar a uma vida que não era a sua — naquela tarde, sorrira de um jeito muito triste. Vira seu rosto pela segunda vez em uma tela dobrada, e agora sentia de novo a sua presença. Só apanhou um táxi depois de muito tempo, ao ver que aquela presença mágica fora embora e a deixara sozinha como sempre.

Melhor então não pensar no assunto para não estragá-lo, para não deixar que a ansiedade substituísse tudo de bom que acabara de viver. Se aquela outra Maria existia mesmo, ela voltaria no momento certo.

* * *

TRECHO DO DIÁRIO DE MARIA escrito na noite em que ganhou o vagão de trem:

O desejo profundo, o desejo mais real é aquele de aproximar-se de alguém. A partir daí, começam a ocorrer as reações, o homem e a mulher entram num jogo, mas o que acontece antes

— a atração que os juntou — é impossível de explicar. É o desejo intocado, em seu estado puro.

Quando o desejo ainda está neste estado puro, homem e mulher se apaixonam pela vida, vivem cada instante com reverência, e conscientemente, sempre esperando o momento certo de celebrar a próxima bênção.

Pessoas assim não têm pressa, não precipitam os acontecimentos com ações inconscientes. Elas sabem que o inevitável se manifestará, que o verdadeiro sempre encontra uma maneira de mostrar-se. Quando chega o momento, elas não hesitam, não perdem uma oportunidade, não deixam passar nenhum momento mágico, porque respeitam a importância de cada segundo.

Nos dias que se seguiram, Maria descobriu-se de novo presa na armadilha que tanto evitara — mas não estava triste nem preocupada com isso. Pelo contrário: já que não tinha mais nada a perder, estava livre.

Sabia que, por mais romântica que fosse a situação, um dia Ralf Hart iria compreender que ela não passava de uma prostituta, enquanto ele era um respeitado artista. Que ela morava em um país distante, sempre em crise, enquanto ele vivia no paraíso, com a vida organizada e protegida desde o nascimento. Ele fora educado frequentando os melhores colégios e museus do mundo, enquanto ela mal terminara o curso secundário. Enfim, sonhos como esses não duram muito, e Maria já vivera o bastante para entender que a realidade não combinava com seus sonhos. Essa era agora sua grande alegria: dizer à realidade que não precisava dela, não dependia das coisas que aconteciam para ser feliz.

"Como sou romântica, meu Deus."

Durante a semana tentou descobrir algo que pudesse deixar Ralf Hart feliz; ele lhe havia devolvido uma dignidade e uma "luz" que ela julgava perdidas para sempre. Mas a única forma de retribuir-lhe era através do que ele julgava ser a especialidade de Maria: sexo. Como as coisas não variavam muito na rotina do Copacabana, ela resolveu procurar outras fontes.

Foi assistir a alguns filmes pornográficos, e de novo não encontrou nada interessante — exceto, talvez, alguma variação quanto ao número de parceiros. Como os filmes não ajudavam muito, pela primeira vez desde que chegara a Genève decidiu comprar livros — embora ainda achasse que era muito mais prático não precisar ocupar o espaço de sua casa com algo que, uma vez lido, não tinha mais uso. Foi até uma livraria, que vira enquanto andava com Ralf pelo Caminho de Santiago, e procurou saber se tinham alguma coisa sobre o tema.

— Muita, muita coisa — respondeu a moça encarregada das vendas. — Na verdade, as pessoas parecem se preocupar apenas com isso. Além de uma seção especial, também em todos os romances que você está vendo à sua volta existe pelo menos uma cena de sexo. Mesmo que esteja escondido em lindas histórias de amor, ou em tratados sérios sobre o comportamento humano, o fato é que as pessoas só pensam nisso.

Maria, com toda a sua experiência, sabia que a moça estava enganada: as pessoas queriam pensar assim porque achavam que o mundo inteiro só se preocupava com este tema. Faziam regimes, usavam perucas, ficavam horas no cabeleireiro ou em academias de ginástica, vestiam roupas insinuantes, tentavam provocar a centelha desejada — e daí? Quando chegava a hora de ir para a cama, onze minutos e pronto. Nenhuma criatividade, nada que levasse ao paraíso; em pouco tempo, a centelha já não tinha mais força para manter o fogo aceso.

Mas era inútil discutir com a moça loura, que julgava que o mundo podia ser explicado em livros. Perguntou de novo onde estava a seção especial, e ali encontrou vários títulos sobre gays, lésbicas, freiras que revelavam coisas escabrosas sobre a Igreja, livros ilustrados com técnicas orientais, mostrando posições muito desconfortáveis. Apenas um dos volumes a interessou: *O sexo sagrado*. Pelo menos devia ser diferente.

Comprou-o, foi para casa, sintonizou o rádio em uma estação que sempre a ajudava a pensar (porque as músicas eram calmas), abriu o livro, notou que tinha várias ilustrações, com posturas que só mesmo quem trabalha em circo pode praticar. O texto era aborrecido.

Maria aprendera o suficiente em sua profissão para saber que nem tudo na vida era uma questão da posição na qual você se coloca enquanto está fazendo amor, e na maior parte das vezes qualquer variação acontecia de maneira natural, sem pensar, como os passos de uma dança. Mesmo assim, tentou concentrar-se no que lia.

Duas horas depois, deu-se conta de duas coisas.

A primeira, que precisava jantar logo, pois devia retornar ao Copacabana.

A segunda, que a pessoa que escrevera aquele livro não entendia nada, NADA do assunto. Muita teoria, coisas orientais, rituais inúteis, sugestões idiotas. Via-se que o autor tinha meditado no Himalaia (precisava saber onde ficava esse lugar), frequentado cursos de ioga (já tinha ouvido falar), lido muito sobre o assunto, pois citava um e outro autor, mas não tinha aprendido o essencial. Sexo não era teoria, incenso queimando, pontos de toque, reverências e salamaleques. Como aquela pessoa (na verdade, uma mulher) ousava escrever sobre um tema que nem Maria, que trabalhava na área, conhecia direito? Talvez fosse culpa do Himalaia, ou da necessidade de complicar algo cuja beleza está na simplicidade e na paixão. Se aquela mulher fora capaz de publicar e vender um livro tão estúpido, era melhor que ela voltasse a pensar seriamente em seu texto, *Onze minutos*. Não seria cínico nem falso — seria apenas sua história, nada mais.

Mas não tinha nem tempo, nem interesse; precisava concentrar sua energia para deixar Ralf Hart alegre e para aprender como administrar fazendas.

* * *

TEXTO DO DIÁRIO DE MARIA, logo depois de deixar o aborrecido livro de lado:

Encontrei um homem e me apaixonei por ele. Deixei-me apaixonar por uma simples razão: não espero nada. Sei que em três meses estarei longe, ele será uma lembrança, mas não podia aguentar mais viver sem amor; estava no meu limite.

Estou escrevendo uma história para Ralf Hart — este é o seu nome. Não estou certa se ele voltará à boate onde trabalho, mas pela primeira vez na vida isso não faz a menor diferença. É suficiente amá-lo, estar com ele em meu pensamento e colorir esta cidade tão bela com seus passos, suas palavras, seu carinho.

Quando eu deixar este país, ele terá um rosto, um nome, a lembrança de uma lareira. Tudo o mais que vivi aqui, todas as coisas duras pelas quais passei, não serão nada perto desta lembrança. Gostaria de poder fazer por ele o que ele fez por mim. Estive pensando muito e descobri que não entrei naquele café por acaso; os encontros mais importantes já foram combinados pelas almas antes mesmo que os corpos se vejam.

Geralmente esses encontros acontecem quando chegamos a um limite, quando precisamos morrer e renascer emocionalmente. Os encontros nos esperam — mas na maior parte das vezes evitamos que eles aconteçam. Entretanto, se estamos desesperados, se já não temos mais nada a perder, ou se estamos muito entusiasmados com a vida, então o desconhecido se manifesta, e nosso universo muda de rumo.

Todos sabem amar, pois já nasceram com este dom. Algumas pessoas já o praticam naturalmente bem, mas a maioria tem de aprender de novo, relembrar como se ama, e todos — sem exceção — precisam queimar na fogueira de suas emoções passadas, reviver algumas alegrias e dores, quedas e recuperação, até conseguir enxergar o fio condutor que existe por trás de cada novo encontro; sim, existe um fio.

E então os corpos aprendem a falar a linguagem da alma; isto se chama sexo. É isto que posso dar ao homem que me devolveu a alma, embora ele desconheça totalmente sua importância na minha vida. Isto foi o que ele me pediu, e isto ele terá; quero que seja muito feliz.

A vida, às vezes, é muito avara: a pessoa passa dias, semanas, meses e anos sem sentir nada de novo. Entretanto, uma vez que abre uma porta — e esse foi o caso de Maria com Ralf Hart —, uma verdadeira avalanche entra pelo espaço aberto. Em um momento você não tem nada, no momento seguinte tem mais do que consegue aceitar.

Duas horas depois de ter escrito em seu diário, quando chegou ao trabalho, foi procurada por Milan, o dono:

— Então, você saiu com o tal pintor.

Ele devia ser conhecido da casa — ela compreendera isso quando pagou por três clientes, a quantia certa, sem perguntar o preço. Maria apenas fez que "sim" com a cabeça, procurando criar um certo mistério, para o qual Milan não deu a menor importância, já que conhecia aquela vida melhor que ela.

— Talvez já esteja preparada para um próximo passo. Existe um cliente especial que tem sempre perguntado por você. Eu digo que não tem experiência, e ele acredita em mim; mas talvez agora seja hora de tentar.

— Cliente especial? E o que tem isso a ver com o pintor?

— Também é um cliente especial.

Então tudo o que tinha feito com Ralf Hart já devia ter sido experimentado por outra de suas colegas. Mordeu o lábio e não disse nada — tinha passado uma bela semana, não podia se esquecer do que escrevera.

— Devo fazer a mesma coisa que fiz com ele?

— Não sei o que fizeram; mas hoje, se alguém lhe oferecer um drinque, não aceite. Os clientes especiais pagam melhor, e você não irá se arrepender.

O trabalho começou como de costume. As tailandesas sempre sentando juntas, as colombianas com o mesmo ar de quem entende de tudo, as três brasileiras (incluindo ela) fingindo um ar distraído, como se nada daquilo fosse novo ou interessante. Havia uma austríaca, duas alemãs, e o resto do elenco era composto por mulheres do Leste Europeu, todas altas, de olhos claros, lindas, e que terminavam casando mais rápido que as outras.

Os homens entraram — russos, suíços, alemães, sempre executivos ocupados, capazes de pagar pelos serviços das prostitutas mais caras de uma das cidades mais caras do mundo. Alguns se dirigiram à sua mesa, mas ela sempre olhava para Milan, e ele fazia um sinal negativo. Maria estava contente: não teria de abrir as pernas aquela noite, aguentar cheiros, tomar duchas em banheiros nem sempre aquecidos, tudo que precisava era ensinar a um homem, já cansado de sexo, como devia fazer amor. E agora, pensando bem, não era qualquer mulher que teria a mesma criatividade para inventar a história do presente.

Ao mesmo tempo se perguntava: "Por que será que, depois de terem experimentado tudo, querem mesmo voltar ao princípio?" Enfim, isso não era da sua conta; desde que pagassem bem, ela estava ali para servi-los.

Um homem mais jovem que Ralf Hart entrou: bonito, cabelos negros, dentes perfeitos e um terno que lembrava os chineses — sem gravata, apenas com uma gola alta, e impecável camisa branca por baixo. Dirigiu-se ao bar, olhou para Maria e se aproximou:

— Aceita um drinque?

Milan fez que sim com a cabeça, e ela convidou-o a sentar-se à mesa. Pediu seu coquetel de frutas, e estava esperando o convite para dançar, quando o homem se apresentou:

— Meu nome é Terence, e trabalho em uma companhia de discos na Inglaterra. Como sei que estou num lugar em que posso confiar nas pessoas, penso que isso irá ficar entre nós.

Maria começava a falar do Brasil quando ele a interrompeu:

— Milan disse que você entende o que eu quero.

— Não sei o que você quer. Mas entendo do que faço.

O ritual não foi cumprido; ele pagou a conta, pegou-a pelo braço, entraram no táxi e ele lhe estendeu mil francos. Por um momento, ela lembrou-se do tal árabe com quem tinha ido jantar no tal restaurante cheio de pinturas famosas; era a primeira vez que voltava a receber a mesma quantia e, em vez de ficar contente, isso a deixou nervosa.

O táxi parou em um dos hotéis mais caros da cidade. O homem disse boa-noite ao porteiro, demonstrando uma imensa familiaridade com o local. Subiram direto ao seu quarto, uma suíte com vista para o rio. Ele abriu uma garrafa de vinho — possivelmente muito raro — e lhe ofereceu uma taça.

Maria olhava-o enquanto bebia; o que uma pessoa como aquela, rica, bonita, desejava de uma prostituta? Como ele quase não falava, ela também permaneceu a maior parte do tempo em silêncio, procurando descobrir o que podia deixar um cliente especial satisfeito. Entendeu que não devia tomar a iniciativa, mas, uma vez que o processo começasse, pretendia acompanhá-lo com a velocidade necessária; afinal de contas, não era toda noite que ganhava mil francos.

— Temos tempo — disse Terence. — Todo o tempo que quisermos. Pode dormir aqui, se assim desejar.

A insegurança voltou. O homem não parecia intimidado, e falava com uma voz calma, diferente de todos os outros. Sabia o que desejava; colocou uma música perfeita, na altura perfeita, no quarto perfeito, com a janela perfeita, que dava para o lago de uma cidade perfeita. Seu terno era bem cortado, a mala estava em um canto, pequena, como se não precisasse de muita coisa para viajar — ou como se tivesse vindo a Genève apenas por aquela noite.

— Vou dormir em casa — respondeu Maria.

O homem à sua frente mudou por completo. Seus olhos de cavalheiro ganharam um brilho frio, glacial.

— Sente-se ali — disse, apontando para uma cadeira ao lado da escrivaninha.

Era uma ordem! Uma verdadeira ordem. Maria obedeceu e, estranhamente, aquilo a excitou.

— Sente-se direito. Estique as costas, como uma mulher de classe. Se não fizer isso, vou castigá-la.

Castigar! Cliente especial! Em um minuto ela entendeu tudo, tirou os mil francos da bolsa e colocou-os na escrivaninha.

— Eu sei o que você quer — disse, olhando para o fundo daqueles gelados olhos azuis. — E não estou disposta.

O homem pareceu voltar ao normal e viu que ela falava a verdade.

— Tome seu vinho — disse. — Não vou forçá-la a nada. Pode ficar mais um pouco, ou pode sair se quiser.

Aquilo a deixou mais tranquila.

— Tenho um emprego. Tenho um patrão que me protege e acredita em mim. Por favor, não comente nada com ele.

Maria disse isso sem nenhum tom de piedade, sem implorar nada — era simplesmente a realidade de sua vida.

Terence também voltara a ser o mesmo homem — nem doce, nem duro, apenas alguém que, ao contrário dos outros clientes, dava a impressão de saber o que desejava. Agora parecia sair de um transe, de uma peça de teatro que ainda não tinha começado.

Valia a pena ir embora assim, sem jamais descobrir o que significa um "cliente especial?"

— O que você queria, exatamente?

— Você sabe. Dor. Sofrimento. E muito prazer.

"Dor e sofrimento não combinam com muito prazer", pensou Maria. Embora quisesse desesperadamente acreditar que sim, e desta maneira transformar em positivas uma grande parte das experiências negativas de sua vida.

Ele pegou-a pela mão e levou-a até a janela: do outro lado do lago podiam ver a torre de uma catedral — Maria lembrava-se que passara por ali enquanto percorria com Ralf Hart o Caminho de Santiago.

— Você está vendo esse rio, esse lago, essas casas, aquela igreja? Há quinhentos anos, era tudo mais ou menos igual.

"Só que a cidade estava completamente vazia; uma doença desconhecida havia se espalhado por toda a Europa, e ninguém sabia por que morria tanta gente. Começaram a chamar a tal doença de peste negra — uma punição que Deus havia enviado ao mundo por causa dos pecados do homem.

"Então, um grupo de pessoas resolveu sacrificar-se pela humanidade: ofereceram aquilo que mais temiam: a dor física. Passaram a caminhar dia e noite por essas pontes, essas ruas, açoitando o próprio corpo com chicotes ou correntes. Sofriam em nome de Deus, e louvavam a Deus com sua dor. Em pouco tempo, descobriram que eram mais felizes fazendo isso do que assando o pão, trabalhando na lavoura, alimentando os animais. A dor já não era mais o sofrimento, mas o prazer de resgatar a humanidade dos seus pecados. A dor se transformara em alegria, no sentido da vida, em prazer."

Seus olhos voltaram a ter o mesmo brilho frio de alguns minutos antes. Pegou o dinheiro que ela havia deixado em cima da escrivaninha, retirou cento e cinquenta francos e colocou-os em sua bolsa.

— Não se preocupe com o seu patrão. Aqui está a comissão dele, e prometo que não direi nada. Pode ir embora.

Ela agarrou todo o dinheiro.

— Não!

Era o vinho, o árabe no restaurante, a mulher com sorriso triste, a ideia de que nunca voltaria àquele maldito lugar, o medo do amor que chegava sob a forma de um homem, as cartas para sua mãe que contavam uma vida cheia de oportunidades de trabalho, o menino que lhe pedira um lápis na infância, as lutas contra si mesma, a culpa, a curiosidade, o dinheiro, a busca dos próprios limites, as chances e oportunidades que perdera. Outra Maria estava ali: já não oferecia presentes, mas entregava-se em sacrifício.

— Meu medo já passou. Vamos adiante. Se for necessário, castigue-me por ser rebelde. Menti, traí, agi errado com quem me protegeu e me amou.

Ela havia entrado no jogo. Estava dizendo as coisas certas.

— Ajoelhe-se! — disse Terence, com uma voz baixa e assustadora.

Maria obedeceu. Nunca tinha sido tratada daquela maneira — e não sabia se era bom ou ruim, apenas queria ir adiante, merecia ser humilhada por tudo o que fizera em toda a sua vida. Estava entrando em um personagem, um novo personagem, uma mulher que desconhecia completamente.

— Você será castigada. Porque você é inútil, não conhece as regras, nada sabe sobre sexo, sobre a vida, sobre o amor.

Enquanto falava, Terence se transformava em dois homens distintos. Aquele que explicava calmamente as regras e o que a fazia se sentir a pessoa mais miserável do mundo.

— Sabe por que aceito isso? Porque não há maior prazer do que iniciar alguém em um mundo desconhecido. Tirar a virgindade — não do corpo, mas da alma, está entendendo?

Estava entendendo.

— Hoje você poderá fazer perguntas. Mas da próxima vez, quando a cortina do nosso teatro se abrir, a peça começa e não pode parar. Se parar, é porque nossas almas não se combinaram. Lembre-se: é uma peça de teatro. Você tem de ser aquele personagem que nunca teve coragem de ser. Aos poucos, você vai descobrir que tal personagem é você mesma, mas, até conseguir enxergar isso com clareza, procure fingir, inventar.

— E se eu não suportar a dor?

— Não existe dor, existe algo que se transforma em delícia, em mistério. Faz parte da peça pedir: "Não me trate assim, está ferindo muito". Faz parte implorar: "Pare, eu não aguento mais!". E por isso, para evitar o perigo... abaixe a cabeça e não me olhe!

Maria, ajoelhada, abaixou a cabeça e fitava o chão.

— Para evitar que esta relação cause danos físicos sérios, teremos dois códigos. Se um de nós disser "amarelo", isso significa que a violência deve ser reduzida um pouco. Se disser "vermelho", deve-se parar imediatamente.

— Você disse "um de nós"?

— Os papéis se alternam. Não existe um sem o outro, e ninguém saberá humilhar se não for também humilhado.

Eram palavras terríveis, vindas de um mundo que não conhecia, cheio de sombra, de lama, de podridão. Mesmo assim, ela sentia vontade de ir adiante — seu corpo estava tremendo, de medo e excitação.

A mão de Terence tocou em sua cabeça com uma ternura inesperada.

— Fim.

Pediu que se levantasse. Sem especial carinho, mas sem a agressividade seca que demonstrara. Maria vestiu o casaco, ainda tremendo. Terence notou o seu estado.

— Fume um cigarro antes de ir.

— Não aconteceu nada.

— Não precisa. Começará a acontecer em sua alma, e da próxima vez que nos encontrarmos estará pronta.

— Esta noite valeu mil francos?

Ele não respondeu. Acendeu também um cigarro, e terminaram o vinho, escutaram a música perfeita, saborearam juntos o silêncio. Até que chegou o momento de dizer alguma coisa, e Maria se surpreendeu com suas próprias palavras.

— Não entendo por que tenho vontade de pisar nesta lama.

— Mil francos.

— Não é isso.

Terence parecia contente com a resposta.

— Eu também já me perguntei a mesma coisa. O Marquês de Sade dizia que as mais importantes experiências do homem são aquelas que o levam ao extremo. Só assim aprendemos, porque isso requer toda a nossa coragem.

"Quando um patrão humilha um empregado, ou um homem humilha sua mulher, ele está apenas sendo covarde, ou vingando-se da vida, são pessoas que jamais ousaram olhar no fundo de suas almas, jamais procuraram saber de onde vem o desejo de soltar a fera selvagem, entender que o sexo, a dor, o amor são experiências-limite do homem.

"E só quem conhece essas fronteiras conhece a vida; o resto é apenas passar o tempo, repetir uma mesma tarefa, envelhecer e morrer sem ter realmente sabido o que se estava fazendo aqui."

De novo a rua, de novo o frio, de novo a vontade de andar. O homem estava errado, não era preciso conhecer seus demônios para encontrar Deus. Cruzou com um grupo de estudantes que saía de um bar; estavam alegres, tinham bebido um pouco, eram bonitos, cheios de saúde, em breve terminariam a universidade e começariam aquilo que chamam de "a verdadeira vida". Trabalho, casamento, filhos, televisão, amargura, velhice, sensação de muita coisa perdida, frustrações, doença, invalidez, dependência dos outros, solidão, morte.

O que estava acontecendo? Ela também buscava tranquilidade para viver sua "verdadeira vida"; o tempo passado na Suíça, fazendo algo que jamais imaginara fazer em sua vida, era apenas um período difícil, que todas as pessoas enfrentam cedo ou tarde. Neste período difícil, frequentava o Copacabana, saía com homens por dinheiro, vivia a Menina Ingênua, a Mulher Fatal e a Mãe Compreensiva, dependendo do cliente. Era apenas um trabalho, ao qual se dedicava com o máximo de profissionalismo — por causa das gorjetas — e o mínimo de interesse — por medo de acostumar-se com ele. Passara nove meses controlando o mundo ao seu redor, e, pouco tempo antes de voltar para sua terra, estava descobrindo ser capaz de amar sem exigir nada em troca, e de sofrer sem motivo. Como se a vida tivesse escolhido este meio sórdido, estranho, para ensinar-lhe algo sobre seus próprios mistérios, sua luz e suas trevas.

* * *

DO DIÁRIO DE MARIA na noite em que encontrou Terence pela primeira vez:

Ele citou Sade, de quem eu nunca tinha escutado uma só palavra, apenas os comentários tradicionais sobre sadismo: "Só nos conhecemos quando encontramos nossos próprios limites", e isso está certo. Mas também está errado, porque não é importante conhecer tudo a respeito de nós mesmos; o ser humano não foi feito só para buscar a sabedoria, mas também para arar a terra, esperar a chuva, plantar o trigo, colher o grão, fazer o pão.

Sou duas mulheres: uma deseja ter toda a alegria, a paixão, as aventuras que a vida pode me dar. A outra quer ser escrava

*de uma rotina, da vida familiar, das coisas que podem ser plane-
jadas e cumpridas. Sou a dona de casa e a prostituta, ambas vivendo no mesmo corpo, e uma lutando contra a outra.*

*O encontro de uma mulher consigo mesma é uma brin-
cadeira com sérios riscos. Uma dança divina. Quando nos encontramos, somos duas energias divinas, dois universos que se
chocam. Se o encontro não tem a reverência necessária, um universo destrói o outro.*

Estava de novo na sala de estar da casa de Ralf Hart, o fogo na lareira, o vinho, os dois sentados no chão, e tudo o que experimentara no dia anterior com aquele executivo inglês não passava de um sonho ou de um pesadelo — dependendo de seu estado de espírito. Agora voltava a buscar sua razão de viver — melhor dizendo, a entrega mais louca possível, aquela em que a pessoa oferece seu coração e nada pede em troca.

Crescera muito enquanto esperava este momento. Descobrira, finalmente, que o amor real nada tinha a ver com o que imaginava, ou seja, uma cadeia de acontecimentos provocados pela energia amorosa — namoro, compromisso, casamento, filhos, espera, cozinha, parque de diversões aos domingos, mais espera, velhice juntos, a espera acabou e em seu lugar veio a aposentadoria do marido, as doenças, a sensação de que já é muito tarde para viverem juntos o que sonhavam.

Olhou para o homem a quem decidira se entregar, e a quem decidira jamais contar o que sentia, porque o que sentia agora estava longe de qualquer forma, inclusive a física. Ele parecia mais à vontade, como se estivesse começando um período interessante de sua existência.

Estava sorrindo, contava histórias de sua recente viagem a Munique, para encontrar-se com um importante diretor de museu.

— Perguntou se a tela sobre as faces de Genève estava pronta. Eu disse que tinha encontrado uma das principais pessoas que gostaria de pintar. Uma mulher cheia de luz. Mas não quero falar de mim, quero abraçá-la. Eu a desejo.

Desejo. Desejo? Desejo! Era esse o ponto de partida para aquela noite, porque era algo que ela conhecia muito bem!

Por exemplo: desperta-se o desejo não entregando logo seu objeto.

— Então, me deseje. Estamos fazendo isso, neste momento. Você está a menos de um metro de mim, foi até uma boate, pagou por meus serviços, sabe que tem o direito de tocar-me. Mas não ousa. Olhe-me. Olhe-me, e pense que talvez eu não queira que você me olhe. Imagine o que está escondido debaixo de minha roupa.

Sempre usava vestidos pretos para trabalhar, e não entendia por que as outras meninas do Copacabana tentavam ser provocantes com seus decotes e cores agressivas. Para ela, excitar um homem era vestir-se como qualquer mulher que ele pode encontrar no escritório, no trem ou na casa de uma amiga da mulher.

Ralf olhou-a, Maria sentiu que ele a despia, e gostou de ser desejada daquela maneira — sem contato, como em um restaurante ou na fila do cinema.

— Estamos em uma estação — continuou Maria. Estou esperando o trem junto com você, você não me conhece. Porém meus olhos cruzam com os seus, por acaso, e não se desviam. Você não sabe o que estou tentando dizer, porque, embora seja um homem inteligente, capaz de ver a "luz" das pessoas, não é sensível o bastante para ver o que esta luz está iluminando.

Tinha aprendido o "teatro". Quis esquecer rápido o rosto do tal executivo inglês, mas ele estava ali, guiando sua imaginação.

— Meus olhos estão fixos nos seus, e posso estar perguntando a mim mesma: "Será que o conheço de algum lugar?". Ou posso estar distraída. Ou posso estar com medo de ser antipática, talvez você me conheça, vou dar-lhe o benefício da dúvida por alguns segundos, até concluir que é um fato, ou um mal-entendido.

"Mas também posso estar querendo a coisa mais simples do mundo: encontrar um homem. Posso estar tentando fugir de um amor que me fez sofrer. Posso estar procurando vingar-me de uma traição que acabou de acontecer, e resolvo ir até a estação de trem em busca de um desconhecido. Posso desejar ser sua prostituta só por uma noite, só para fazer algo diferente em minha vida aborrecida. Posso, inclusive, ser uma prostituta de verdade, que está ali para conseguir trabalho."

Um rápido silêncio; Maria havia se distraído de repente. Voltara para o tal hotel, a humilhação — "amarelo", "vermelho", dor e muito prazer. Aquilo havia mexido com sua alma, de uma maneira que não lhe agradava.

Ralf notou e procurou puxá-la de novo para a estação de trem:

— Neste encontro, você também me deseja?

— Não sei. Não nos falamos, você não sabe.

Outros segundos de distração. De qualquer maneira, a ideia do "teatro" ajudava muito; fazia surgir o verdadeiro personagem, afastava as muitas pessoas falsas que habitam em nós mesmos.

— Mas o fato é que eu não desvio meus olhos, e você não sabe o que fazer. Deve aproximar-se? Será rejeitado? Chamarei um guarda? Ou o convidarei para tomar café?

— Estou voltando de Munique — disse Ralf Hart, e seu tom de voz era diferente, como se estivessem realmente se encontrando pela primeira vez. — Estou pensando em uma coleção de quadros sobre as personalidades do sexo. As muitas máscaras que as pessoas usam para jamais viver o verdadeiro encontro.

Ele conhecia o "teatro". Milan dissera que era também um cliente especial. O alarme tocou, mas ela precisava de tempo para pensar.

— O diretor do museu me disse: "Em que você pretende basear o seu trabalho?" Eu respondi: "Em mulheres que se sentem livres para fazer amor por dinheiro". Ele comentou: "Não dá, chamamos essas mulheres de prostitutas". Eu retruquei: "Bem, são prostitutas, vou estudar a história delas e farei algo mais intelectual, mais ao gosto das famílias que irão frequentar o seu museu. Tudo é uma questão de cultura, sabia? De apresentar de uma maneira agradável aquilo que custa a ser digerido". O diretor insistiu: "Mas o sexo não é mais tabu. É uma coisa tão explorada que fica difícil fazer um trabalho com este tema". Eu repliquei: "E você sabe de onde vem o desejo sexual?". "Do instinto", disse o diretor. "Sim, do instinto, mas isso todo mundo sabe. Como fazer uma bela exposição, se estamos apenas falando de ciência? Eu quero falar de como o homem explica essa atração. Como um filósofo, por exemplo, contaria isso." O diretor pediu que eu desse um exemplo. Eu disse que, quando tomasse o trem de volta para casa e alguma mulher me olhasse, eu iria falar com ela; diria que, por ser uma estranha, poderíamos ter a liberdade de fazer tudo o que tínhamos sonhado, viver todas as nossas fantasias e depois ir para nossas casas, nossas mulheres e nossos maridos, sem que jamais nos cruzássemos novamente. E então, nesta estação de trem, eu a vejo.

— Sua história é tão interessante que está matando o desejo.

Ralf Hart riu, e concordou. O vinho tinha acabado, ele foi até a cozinha pegar mais uma garrafa, e ela ficou olhando o fogo, já sabendo qual seria o próximo passo, mas ao mesmo tempo saboreando aquele ambiente acolhedor, esquecendo o executivo inglês, voltando a entregar-se.

Ralf serviu os dois copos.

— Apenas como curiosidade, de que maneira você acabaria esta história com o diretor?

— Citaria Platão, já que estaria diante de um intelectual. Segundo ele, no início da criação, os homens e mulheres não eram como são hoje; havia apenas um ser, que era baixo, com um corpo e um pescoço, mas sua cabeça tinha duas faces, cada uma olhando para uma direção. Era como se duas criaturas estivessem grudadas pelas costas, com dois sexos opostos, quatro pernas, quatro braços.

"Os deuses gregos, porém, eram ciumentos, e viram que uma criatura que tinha quatro braços trabalhava mais, e as suas duas faces opostas estavam sempre vigilantes e ela não podia ser atacada por traição, as quatro pernas não exigiam dela tanto esforço para ficar em pé ou andar por longos períodos. E, o que era mais perigoso: a tal criatura tinha dois sexos diferentes, não precisava de ninguém mais para continuar se reproduzindo na Terra.

"Então Zeus, o supremo senhor do Olimpo, disse: 'Tenho um plano para fazer com que estes mortais percam sua força'.

"E, com um raio, cortou essa criatura em duas, criando o homem e a mulher. Isso aumentou muito a população do mundo, e ao mesmo tempo desorientou e enfraqueceu os que nele habitavam — porque agora tinham de buscar de novo sua parte perdida, abraçá-la de novo, e nesse abraço recuperar a força antiga, a capacidade de evitar a traição, a resistência para andar longos períodos e aguentar o trabalho exaustivo. O abraço em que os dois corpos se confundem de novo em um, nós chamamos de sexo."

— Essa história é verdade?

— Segundo Platão, o filósofo grego.

Maria olhava-o fascinada, e a experiência da noite anterior tinha desaparecido por completo. Ela via o homem à sua frente cheio da mesma "luz" que ele enxergara nela, contando aquela estranha história com entusiasmo, os olhos brilhando não mais de desejo, mas de alegria.

— Posso lhe pedir um favor?

Ralf respondeu que podia pedir qualquer coisa.

— Pode descobrir por que, depois que os deuses separaram as criaturas com quatro pernas, algumas delas resolveram que o tal abraço podia ser apenas uma coisa, um negócio como outro qualquer — que em vez de acrescentar, retira a energia das pessoas?

— Você está falando de prostituição?

— Isso. Pode descobrir quando o sexo deixou se ser sagrado?

— Farei isso se você quiser — respondeu Ralf. — Mas nunca pensei nisso, e creio que ninguém mais pensou; talvez não haja material a esse respeito.

Maria não aguentou a pressão:

— Já lhe ocorreu que as mulheres, principalmente as prostitutas, são capazes de amar?

— Sim, me ocorreu. Ocorreu-me no primeiro dia, quando estávamos na mesa do café, quando vi sua luz. Então, quando pensei em convidá-la para um café, escolhi acreditar em tudo, inclusive na possibilidade de você me devolver ao mundo, de onde parti faz muito tempo.

Agora não havia mais retorno. Maria, a mestra, precisava vir imediatamente em seu socorro, ou ela iria beijá-lo, abraçá-lo, pedir que não a deixasse.

— Vamos voltar para a estação de trem — disse. — Melhor dizendo, vamos voltar para esta sala, para o dia em que viemos aqui pela primeira vez e você reconheceu que eu existia, e me deu um presente. Foi a primeira tentativa de entrar na minha alma, e você não sabia se era bem-vindo. Mas, como diz a sua história, os seres humanos foram divididos, e agora buscam de novo este abraço que os una. Esse é o nosso instinto. Mas também a nossa razão para aguentar todas as coisas difíceis que acontecem durante essa busca.

"Eu quero que você me olhe, e quero, ao mesmo tempo, que evite fazer com que eu note. O primeiro desejo é importante porque ele é escondido, proibido, não consentido. Você não sabe se está diante da sua outra metade perdida, ela tampouco sabe, mas algo os atrai — e é preciso acreditar que seja verdade."

De onde estou tirando tudo isso? Estou tirando tudo isso do fundo do meu coração, porque gostaria que sempre tivesse sido assim. Estou tirando estes sonhos do meu próprio sonho de mulher.

Ela abaixou um pouco a alça do vestido, de modo que uma parte, apenas uma ínfima parte do bico do seu seio, ficasse descoberta.

— O desejo não é o que você vê, mas aquilo que você imagina.

Ralf Hart olhava uma mulher de cabelos negros e roupa igualmente negra, sentada no chão de sua sala de visitas, cheia de desejos absurdos, como ter uma lareira acesa em pleno verão. Sim, queria imaginar o que aquela roupa escondia, podia ver o tamanho de seus seios, sabia que o sutiã que ela usava era desnecessário, embora talvez fosse uma obrigação do ofício. Seus seios não eram grandes, não eram pequenos, eram jovens. Seu olhar não demonstrava nada; o que ela estava fazendo ali? Por que ele estava alimentando esta relação perigosa, absurda, se não tinha nenhum problema em arranjar uma mulher? Era rico, jovem, famoso, de boa aparência. Adorava seu trabalho, tinha amado as mulheres com quem se casara, tinha sido amado. Enfim, era uma pessoa que, de acordo com todos os padrões, deveria gritar bem alto: "Eu sou feliz".

Mas não era. Enquanto a maioria dos seres humanos se matava por um pedaço de pão, um teto onde morar, um emprego que lhe permitisse viver com dignidade, Ralf Hart tinha tudo isso, o que o tornava mais miserável. Se fizesse um balanço de sua vida recente, talvez tivesse vivido dois, três dias em que houvesse acordado, olhado o sol — ou a chuva — e se sentido alegre por ser de manhã, apenas alegre, sem desejar nada, sem planejar nada, sem pedir nada em troca. Afora esses poucos dias, o resto de sua existência tinha sido gasto em sonhos, frustrações e realizações, desejo de superar a si mesmo, viagens além dos seus limites; não sabia exatamente a quem, ou o quê, o certo é que passara sua vida tentando provar algo.

Olhava a bela mulher à sua frente, discretamente vestida de negro, alguém que encontrara por acaso, embora já a tivesse visto antes em uma boate e reparado que não combinava com o lugar. Ela pedia que a desejasse, e ele a desejava muito, muito mais do que podia imaginar — mas não eram os seus seios, ou o seu corpo; era a sua companhia. Queria abraçá-la, ficar em silêncio olhando o fogo, bebendo vinho, fumando um ou outro cigarro, isso era o suficiente. A vida era feita de coisas simples, estava cansado de todos esses anos buscando algo que não sabia o que era.

Entretanto, se fizesse isso, se a tocasse, tudo estaria perdido. Porque, apesar de sua "luz", não estava certo se ela entendia como era bom estar ao seu lado. Estava pagando? Sim, e continuaria pagando o tempo que fosse necessário, até poder sentar-se com ela à beira do lago, falar de amor — e escutar a mesma coisa de volta. Melhor não arriscar, não precipitar os acontecimentos, não dizer nada.

Ralf Hart parou de se torturar e voltou a concentrar-se no jogo que acabavam de criar juntos. A mulher à sua frente estava certa: não bastavam o vinho, o fogo, o cigarro, a companhia; era preciso outro tipo de embriaguez, outro tipo de chama.

A mulher estava com um vestido de alças, tinha deixado um seio à mostra, podia ver sua carne, mais para morena que branca. Desejou-a. Desejou-a muito.

Maria notou a mudança nos olhos de Ralf. Saber-se desejada a excitava mais do que qualquer outra coisa. Nada tinha a ver com a receita convencional — quero fazer amor com você, quero casar, quero que você tenha um orgasmo, quero ter um filho, quero compromissos. Não, o desejo era uma sensação livre, solta no espaço, vibrando, enchendo a vida com a vontade de ter algo — e isso bastava, essa vontade empurrava tudo para a frente, desmoronava as montanhas, deixava úmido seu sexo.

O desejo era a fonte de tudo — de sair de sua terra, de descobrir um novo mundo, aprender francês, superar seus preconceitos, sonhar com uma fazenda, amar sem pedir nada em troca, sentir-se mulher apenas por causa do olhar de um homem. Com uma lentidão calculada, abaixou a outra alça, e o vestido escorregou por seu corpo. Em seguida, desabotoou o sutiã. Ali ficou, com a parte superior do corpo completamente despida, imaginando se ele iria saltar sobre ela, tocá-la, fazer juras de amor — ou se era sensível o suficiente para sentir, no próprio desejo, o mesmo prazer do sexo.

As coisas em volta dos dois começaram a mudar, os ruídos já não existiam mais; a lareira, os quadros, os livros foram desaparecendo, substituídos por uma espécie de transe, em que apenas o obscuro objeto do desejo existe, e nada mais tem importância.

O homem não se mexeu. No início sentiu uma certa timidez em seus olhos, mas não durou muito. Ele a olhava, e no mundo de sua imaginação ele a acariciava com a língua, faziam amor, suavam, abraçavam-se, misturavam ternura e violência, gritavam e gemiam juntos.

No mundo real, porém, nada diziam, nenhum dos dois se movia, e isso a deixava mais excitada ainda, porque também ela estava livre para pensar o que quisesse. Pedia que a tocasse com suavidade, abria as pernas, masturbava-se diante dele, dizia frases românticas e vulgares como se fossem a mesma coisa, tinha vários orgasmos, acordava os vizinhos, acordava o mundo inteiro com seus gritos. Ali estava seu homem, que lhe dava prazer e alegria, com quem podia ser quem era, falar dos seus problemas sexuais, contar quanto gostaria de continuar junto com ele pelo resto da noite, da semana, da vida.

O suor começou a pingar da testa de ambos. Era a lareira, um dizia mentalmente para o outro. Mas tanto o homem como a mulher naquela sala tinham chegado ao seu limite, usado toda a imaginação, vivido juntos uma eternidade de momentos bons. Precisavam parar, porque mais um passo e aquela magia seria desfeita pela realidade.

Com muita lentidão — porque o final é sempre mais difícil que o princípio —, ela recolocou o sutiã e escondeu os seios. O Universo voltou ao seu lugar, as coisas em volta tornaram a surgir, ela levantou o vestido que deixara cair até a cintura, sorriu e, com suavidade, tocou-lhe o rosto. Ele pegou a sua mão e apertou-a contra a face, sem saber até quando devia mantê-la ali, ou com que intensidade devia agarrá-la.

Ela sentiu vontade de dizer que o amava. Mas isso estragaria tudo, podia assustá-lo ou — o que era pior — podia fazer com que respondesse que também a amava. Maria não queria isso: a liberdade do seu amor era não ter nada que pedir ou esperar.

— Quem é capaz de sentir sabe que é possível ter prazer antes mesmo de tocar outra pessoa. As palavras, os olhares, tudo isso contém o segredo da dança. Mas o trem chegou, cada um vai para o seu lado. Espero poder acompanhá-lo nesta viagem até... até onde?

— De volta a Genève — respondeu Ralf.

Quem observa, e descobre a pessoa com quem sempre sonhou, sabe que a energia sexual acontece antes do próprio sexo. O maior prazer não é o sexo, é a paixão com que ele é praticado. Quando essa paixão é intensa, o sexo vem para consumar a dança, mas ele nunca é o ponto principal.

— Você está falando de amor como uma professora.

Maria resolveu falar, porque esta era a sua defesa, sua maneira de dizer tudo sem comprometer-se com nada:

— Quem está apaixonado está fazendo amor o tempo todo, mesmo quando não está fazendo. Quando os corpos se encontram, é apenas o transbordar da taça. Podem ficar juntos por horas, até dias. Podem começar a dança em um dia e acabar em outro, ou até mesmo não acabar, de tanto prazer. Nada a ver com onze minutos.

— O quê?

— Eu te amo.

— Eu também te amo.

— Perdão. Não sei o que estou dizendo.

— Nem eu.

Levantou-se, deu-lhe um beijo e saiu. Ela mesma podia abrir a porta, já que a superstição brasileira dizia que o dono da casa só precisava fazê-lo na primeira vez em que o outro fosse embora.

* * *

DO DIÁRIO DE MARIA, na manhã seguinte:

Ontem à noite, quando Ralf Hart me olhou, abriu uma porta, como se fosse um ladrão; mas, ao ir embora, não levou nada de mim, ao contrário, deixou o cheiro de rosas — não era um ladrão, mas um noivo que me visitava.

Cada ser humano vive seu próprio desejo; faz parte do seu tesouro, e, embora seja uma emoção que pode afastar alguém, geralmente traz quem é importante para perto. É uma emoção que minha alma escolheu, e tão intensa que pode contagiar tudo e todos à minha volta.

Cada dia escolho a verdade com a qual pretendo viver. Procuro ser prática, eficiente, profissional. Mas gostaria de poder escolher, sempre, o desejo como meu companheiro. Não por obrigação, nem para atenuar a solidão de minha vida, mas porque é bom. Sim, é muito bom.

O Copacabana tinha, em média, trinta e oito mulheres que frequentavam a casa com regularidade, embora apenas uma, a filipina Nyah, pudesse ser considerada por Maria como alguém com quem tinha uma relação próxima à amizade. A média de permanência ali era de, no mínimo, seis meses e, no máximo, três anos — porque logo recebiam um convite para casar, ser amante fixa ou, se já não conseguiam mais atrair a atenção dos fregueses, Milan pedia delicadamente que procurassem outro local de trabalho.

Por isso, era importante respeitar a clientela de cada uma e jamais procurar seduzir os homens que ali entravam e iam direto para determinada moça. Além de ser desonesto, podia ser muito perigoso; na semana anterior, uma colombiana tirara delicadamente uma lâmina de barbear do bolso, colocara em cima do copo de uma iugoslava e dissera, com a voz mais tranquila do mundo, que a iria desfigurar se insistisse em aceitar de novo o convite de um certo diretor de banco que costumava ir ali com regularidade. A iugoslava alegara que o homem era livre e, se a tinha escolhido, não podia recusar.

Naquela noite, o homem entrou, cumprimentou a

colombiana e foi para a mesa onde estava a outra. Tomaram o drinque, dançaram e — Maria achou que era provocação demais — a iugoslava piscou para a outra, como se estivesse dizendo "Está vendo? Ele me escolheu!".

Mas aquela piscadela continha muitas outras coisas não ditas: ele me escolheu porque sou mais bela, porque estive com ele na semana passada e ele gostou, porque sou jovem. A colombiana não disse nada. Quando a sérvia voltou, duas horas depois, ela sentou-se ao seu lado, tirou a lâmina de barbear do bolso e cortou o rosto da outra perto da orelha: nada profundo, nada perigoso, apenas o suficiente para deixar uma pequena cicatriz que a lembrasse para sempre daquela noite. As duas se atracaram, o sangue espirrou para todo lado, os fregueses saíram assustados.

Quando a polícia chegou querendo saber o que se passava, a iugoslava disse que havia cortado o seu rosto em um copo que caíra de uma estante (não existiam estantes no Copacabana). Essa era a lei do silêncio, ou omertà, como gostavam de chamar as prostitutas italianas: tudo que tivesse de ser resolvido na Rue de Berne, do amor à morte, seria resolvido — mas sem a interferência da lei. Ali, eles faziam a lei.

A polícia sabia da omertà, viu que a mulher estava mentindo, mas não insistiu no assunto — ia custar muito dinheiro ao contribuinte suíço se resolvesse prender, processar e alimentar uma prostituta durante o tempo em que estivesse na prisão. Milan agradeceu aos policiais pela pronta interferência, disse que era um mal-entendido ou alguma intriga de um concorrente.

Assim que eles saíram, pediu que as duas nunca mais voltassem ao seu bar. Afinal de contas, o Copacabana era um lugar familiar (uma afirmativa que Maria custava a entender) e tinha uma reputação a zelar (o que a deixava mais intrigada ainda). Ali não havia brigas, porque a primeira lei era respeitar o cliente alheio.

A segunda lei era a total discrição, "semelhante à de um banco suíço", dizia ele. Principalmente porque ali se podia confiar nos clientes, que eram selecionados como um banco seleciona os seus — com base na conta corrente, mas também na folha corrida, ou seja, nos bons antecedentes.

Às vezes havia algum equívoco, alguns raros casos de não pagamento, de agressão ou de ameaças às moças, mas, nos muitos anos em que criara e desenvolvera com esforço a fama de sua boate, Milan já sabia identificar quem devia ou não frequentar a casa. Nenhuma das mulheres sabia exatamente qual era o seu critério, porém mais de uma vez já tinham visto alguém bem-vestido ser informado de que a boate estava cheia aquela noite (embora estivesse vazia) e nas noites seguintes (ou seja: por favor, não volte). Também tinham visto pessoas de roupa esporte e barba por fazer serem entusiasticamente convidadas por Milan para um copo de champanhe. O dono do Copacabana não julgava pelas aparências e, no final das contas, sempre tinha razão.

Em uma boa relação comercial, todas as partes precisam estar satisfeitas. A maioria dos clientes era casada ou tinha uma posição importante em alguma empresa. Também algumas daquelas mulheres que trabalhavam ali eram casadas, tinham filhos e frequentavam as reuniões de pais na escola, sabendo que não corriam nenhum risco: se um dos pais aparecesse no Copacabana, também estaria comprometido, e não poderia dizer nada: assim funcionava a omertà.

Havia camaradagem, mas não havia amizade. Ninguém falava muito da própria vida. Nas poucas conversas que tivera, Maria não descobrira amargura, ou culpa, ou tristeza entre suas companheiras: apenas uma espécie de resignação. E também um estranho olhar de desafio, como se estivessem orgulhosas de si mesmas, enfrentando o mundo, independentes e confiantes. Depois de uma semana, qualquer moça recém-chegada já era considerada "profissional", e recebia instruções para sempre ajudar a manter os casamentos (uma prostituta não pode ser uma ameaça à estabilidade de um lar), jamais aceitar convites para encontros fora do horário de trabalho, escutar confissões sem dar muita opinião, gemer na hora do orgasmo (Maria descobrira que todas faziam isso, e que no início não lhe tinham contado porque era um dos truques da profissão), cumprimentar a polícia na rua, manter atualizados a carteira de trabalho e os exames de saúde e, finalmente, não se indagar muito sobre os aspectos morais ou legais do que faziam; eram o que eram, e ponto final.

Antes que o movimento começasse, Maria sempre podia ser vista com um livro, e logo passou a ser conhecida como a "intelectual" do grupo. No início queriam saber se eram histórias de amor, mas, ao ver que se tratava de assuntos áridos e desinteressantes como economia, psicologia e — recentemente — administração de fazendas, logo a deixavam sozinha para que continuasse sossegada sua pesquisa e suas anotações.

Por ter muitos clientes fixos, e por ir ao Copacabana todos os dias, mesmo quando o movimento era pequeno, Maria ganhou a confiança de Milan e a inveja das companheiras; comentavam que a brasileira era ambiciosa, arrogante e só pensava em ganhar dinheiro. Esta última parte não deixava de ser verdade, embora ela tivesse vontade de perguntar se todas as outras não estavam ali pelo mesmo motivo.

De qualquer maneira, comentários não matam — fazem parte da vida de qualquer pessoa bem-sucedida. Era melhor ignorá-los, concentrando a atenção em seus dois únicos objetivos: voltar para o Brasil na data marcada e comprar uma fazenda.

Ralf Hart agora estava em seu pensamento da manhã à noite, e pela primeira vez era capaz de ser feliz com um amor ausente — embora um pouco arrependida de ter confessado isso, arriscando-se a perder tudo. Mas o que tinha a perder, se não estava pedindo nada em troca? Lembrou-se de como o seu coração batera mais rápido quando Milan mencionara que ele era — ou já tinha sido — um cliente especial. O que significava aquilo? Sentiu-se traída, ficou com ciúmes.

Claro que o ciúme é normal, embora a vida já lhe tivesse ensinado que era inútil pensar que alguém pode possuir outra pessoa — quem acredita que isso é possível está querendo enganar a si mesmo. Apesar disso, não se pode reprimir a ideia do ciúme, ou ter grandes ideias intelectuais a respeito, ou, ainda, achar que é uma demonstração de fragilidade.

"O amor mais forte é aquele que pode demonstrar sua fragilidade. De qualquer maneira, se meu amor for verdadeiro (e não apenas uma maneira de me distrair, me enganar, passar o tempo que não passa nunca nesta cidade), a liberdade irá vencer o ciúme, e a dor que ele provoca — já que também a dor é parte de um processo natural." Quem pratica esporte sabe disto: quando queremos atingir nossos objetivos, precisamos estar prontos para uma dose diária de dor ou mal-estar. A princípio, é incômodo e desmotivante, mas com o decorrer do tempo entendemos que faz parte do processo de sentir-se bem, e chega um momento em que, sem a dor, temos a sensação de que o exercício não está tendo o efeito desejado.

O perigoso é focalizar essa dor, dar-lhe um nome de pessoa, mantê-la sempre presente no pensamento; e disso, graças a Deus, Maria já conseguira se livrar.

Mesmo assim, às vezes descobria-se pensando em onde estaria ele, por que não a procurava, se a havia achado estúpida com aquela história de estação de trem e desejo reprimido, se fugira para sempre porque ela confessara seu amor. Para evitar que sentimentos tão belos se transformassem em sofrimento, ela desenvolveu um método: quando algo de positivo ligado a Ralf Hart viesse à sua mente — e isso podia ser a lareira e o vinho, uma ideia que gostaria de discutir com ele ou simplesmente a ansiedade gostosa de saber quando voltaria —, Maria parava o que estava fazendo, sorria para o céu e agradecia por estar viva e não esperar nada do homem que amava.

Entretanto, se o seu coração começasse a reclamar da ausência, ou das coisas erradas que dissera quando estavam juntos, ela dizia para si mesma:

"Ah, você quer pensar nisso? Então tudo bem; continue fazendo o que deseja, enquanto eu me dedico a coisas mais importantes."

Continuava a ler, ou, se estivesse na rua, começava a prestar atenção a tudo que estava à sua volta: cores, pessoas, sons — principalmente sons: dos seus passos, das páginas que viravam, dos carros, dos fragmentos de conversas —, e o pensamento incômodo terminava por desaparecer. Se voltasse cinco minutos depois, ela repetia o processo, até que essas lembranças, ao serem aceitas mas gentilmente rejeitadas, se afastassem por um tempo considerável.

Um desses "pensamentos negativos" era a possibilidade de não tornar a vê-lo. Com um pouco de prática e muita paciência, ela conseguiu transformá-lo em um "pensamento positivo": quando partisse, Genève seria um rosto de um homem com cabelos muito compridos e fora de moda, sorriso infantil, voz grave. Se alguém lhe perguntasse, muitos anos depois, como era o lugar que conhecera em sua juventude, ela poderia responder: "Bonito, capaz de amar e ser amado".

* * *

DO DIÁRIO DE MARIA, em um dia de pouco movimento no Copacabana:

De tanto conviver com as pessoas que vêm aqui, chego à conclusão de que o sexo tem sido utilizado como qualquer outra droga: para fugir à realidade, para esquecer dos problemas, para relaxar. E, como todas as drogas, é uma prática nociva e destruidora.

Se uma pessoa quer se drogar, seja com sexo ou com qualquer coisa, isso é problema dela; as consequências de seus atos serão melhores ou piores de acordo com aquilo que ela escolheu para si mesma. Mas, se falamos em avançar na vida, temos que entender que o que é "bonzinho" é bem diferente do que é "melhor".

Ao contrário do que os meus clientes pensam, o sexo não pode ser praticado a qualquer hora. Há um relógio escondido em cada um de nós, e para fazer amor os ponteiros de ambas as pessoas têm que estar marcando a mesma hora ao mesmo tempo. Isso não acontece todos os dias. Quem ama não depende do ato sexual para sentir-se bem. Duas pessoas que estão juntas, e se querem bem, precisam acertar seus ponteiros, com paciência e perseverança, com jogos e representações "teatrais", até entender que fazer amor é muito mais que um encontro; é um "abraço" das partes genitais.

Tudo tem importância. Uma pessoa que vive intensamente sua vida goza o tempo todo e não sente falta de sexo. Quando ela faz sexo, é por abundância, porque o copo de vinho está tão cheio que transborda naturalmente, porque é absolutamente inevitável, porque ela aceita o apelo da vida, porque nesse momento, apenas nesse momento, ela consegue perder o controle.

P.S. — Acabo de reler o que escrevi: meu Deus do céu, estou ficando intelectual demais!!!

Pouco depois de ter escrito isso, e quando se preparava para viver mais uma noite de Mãe Compreensiva ou Menina Ingênua, a porta do Copacabana abriu-se e entrou Terence, o executivo da gravadora de discos, um dos clientes especiais.

Milan pareceu satisfeito por trás do bar: a menina não o havia decepcionado. Maria lembrou na mesma hora das palavras que diziam tantas coisas e ao mesmo tempo não diziam nada: "dor, sofrimento, e muito prazer".

— Vim de Londres especialmente para vê-la. Pensei muito em você.

Ela sorriu, tentando fazer com que seu sorriso não fosse um encorajamento. Mais uma vez ele não seguiu o ritual, não a convidou para nada — apenas sentou-se.

— Quando se faz uma pessoa descobrir qualquer coisa, o professor também termina descobrindo algo novo.

— Sei do que está falando — respondeu Maria, lembrando-se de Ralf Hart e irritando-se com sua própria lembrança. Estava diante de outro cliente, precisava respeitá-lo e fazer o possível para deixá-lo contente.

— Quer ir adiante?

Mil francos. Um universo escondido. Um patrão que

190

a olhava. A certeza de que poderia parar quando quisesse. A data marcada para a volta ao Brasil. Um outro homem, que não aparecia nunca.

— Você está com pressa? — perguntou Maria.

Ele disse que não. O que ela queria?

— Quero o meu drinque, a minha dança, o respeito pela minha profissão.

Ele hesitou por alguns minutos, mas era parte do teatro, de dominar e ser dominado. Pagou o drinque, dançou, pediu um táxi, entregou-lhe o dinheiro enquanto cruzavam a cidade, e foram para o mesmo hotel. Entraram, ele cumprimentou o porteiro italiano da mesma maneira que fizera na noite em que se conheceram, e subiram para o mesmo quarto com vista para o rio.

Terence riscou um fósforo e só então Maria se deu conta de que havia dezenas de velas espalhadas. Ele começou a acendê-las.

— O que você quer saber? Por que sou assim? Porque, se não me engano, você adorou a noite que passamos juntos. Quer saber por que você também é assim?

— Estou pensando que no Brasil, por superstição, não acendemos mais de três coisas com o mesmo fósforo. E você não está respeitando isso.

Ele ignorou o comentário.

— Você é como eu. Não está aqui pelos mil francos, mas pelo sentimento de culpa, de dependência, pelos seus complexos e sua insegurança. E isso não é bom nem ruim, é a natureza humana.

Pegou o controle remoto da TV e mudou várias vezes de canal, até parar em um noticiário, onde refugiados procuravam escapar de uma guerra.

— Está vendo isso? Já viu os programas em que as pessoas vão discutir seus problemas pessoais diante de todo mundo? Já foi até a banca de jornal e viu as manchetes? O mundo se alegra no sofrimento e na dor. Sadismo ao olhar, masoquismo ao concluir que não precisamos saber tudo isso para sermos felizes, e mesmo assim assistimos à tragédia alheia e, às vezes, sofremos com ela.

Ele serviu outros dois copos de champanhe, desligou a TV e continuou a acender as velas, sem respeitar a superstição de Maria.

— Repito: é a condição humana. Desde que fomos expulsos do paraíso, ou estamos sofrendo, ou estamos fazendo alguém sofrer, ou estamos olhando o sofrimento dos outros. É incontrolável.

Começaram a escutar o estrondo de trovões lá fora; uma gigantesca tempestade se aproximava.

— Mas eu não consigo — disse Maria. — Me parece ridículo achar que você é o meu mestre e eu sua escrava. Não precisamos de nenhum "teatro" para nos encontrarmos com o sofrimento; a vida já nos oferece muitas oportunidades.

Terence tinha acabado de acender todas as velas. Pegou uma delas, colocou-a no centro da mesa, tornou a servir champanhe e caviar. Maria bebia rápido, pensando nos mil francos que estavam já em sua carteira, no desconhecido que a fascinava e amedrontava, na maneira de controlar seu pavor. Sabia que, com aquele homem, uma noite jamais seria como a outra, não podia ameaçá-lo.

— Sente-se.

A voz alternava-se entre doce e autoritária. Maria obedeceu, e uma onda de calor percorreu seu corpo; aquela ordem era familiar, ela sentia-se mais segura. "Teatro. Preciso entrar na peça de teatro." Era bom receber ordens. Não precisava pensar, apenas obedecer. Suplicou por mais champanhe, ele lhe trouxe vodca; subia mais rápido, libertava com mais facilidade, combinava mais com o caviar.

Abriu a garrafa, Maria praticamente bebeu sozinha, enquanto escutava os trovões. Tudo colaborava para o momento perfeito, como se a energia dos céus e da terra mostrasse também seu lado violento.

Em um dado momento, Terence pegou uma pequena maleta no armário e colocou-a sobre a cama.

— Não se mexa.

Maria ficou imóvel. Ele abriu a maleta e tirou dois pares de algemas de metal cromado.

— Sente-se de pernas abertas.

Ela obedeceu. Impotente por vontade própria, submissa porque assim desejava. Percebeu que ele olhava entre suas pernas, podia ver a calcinha preta, as meias finas, as coxas, podia imaginar os pelos, o sexo.

— Fique de pé!

Ela saltou da cadeira. Seu corpo custou a equilibrar-se, e viu que estava mais embriagada do que imaginara.

— Não me olhe. Abaixe a cabeça, respeite seu dono!

— Antes que pudesse abaixar a cabeça, um chicote fino

foi retirado da mala e estalou no ar, como se tivesse vida própria.

— Beba. Mantenha a cabeça baixa, mas beba.

Entornou mais um, dois, três copos de vodca. Agora não era apenas um teatro, mas a realidade da vida: não tinha controle. Sentia-se um objeto, um simples instrumento, e, por incrível que pareça, aquela submissão lhe dava a sensação de completa liberdade. Não era mais a mestra, a que ensina, a que consola, a que escuta as confissões, a que excita; era apenas a menina do interior do Brasil, diante do poder gigantesco do homem.

— Tire a roupa.

A ordem veio seca, sem desejo — e, no entanto, nada mais erótico. Mantendo a cabeça baixa em sinal de reverência, Maria desabotoou o vestido e deixou que escorregasse até o chão.

— Você não está se comportando bem, sabia?

De novo o chicote estalou no ar.

— Precisa ser castigada. Uma menina da sua idade, como ousa me contrariar? Você devia estar de joelhos diante de mim!

Maria fez menção de ajoelhar-se, mas o chicote a interrompeu; pela primeira vez tocava a sua carne — nas nádegas. Ardia, mas parecia não deixar marcas.

— Eu não disse para ajoelhar-se. Disse?

— Não.

Outra vez o chicote tocou suas nádegas.

— Diga: "Não, meu senhor".

E mais uma chibatada. Mais ardor. Por uma fração de segundo ela pensou que podia parar com aquilo tudo imediatamente; ou podia escolher ir até o fim, não pelo dinheiro, mas pelo que ele dissera na primeira vez — um ser humano só se conhece quando vai até seus limites.

E aquilo era novo; era a aventura, podia decidir mais tarde se gostaria de continuar, mas naquele instante ela deixou de ser a moça que tinha três objetivos na vida, que estava ganhando dinheiro com seu corpo, que conhecera um homem com uma lareira e histórias interessantes para contar. Ali ela não era ninguém — e, por não ser ninguém, era tudo que sonhava.

— Tire toda a roupa. E ande de um lado para outro, para que eu possa vê-la.

Mais uma vez obedeceu, mantendo a cabeça baixa, sem dizer uma só palavra. O homem que a olhava estava vestido, impassível, não era a mesma pessoa com quem tinha vindo conversando desde a boate — era um Ulisses que vinha de Londres, um Teseu que chegava do céu, um sequestrador que invadia a cidade mais segura do mundo, e o coração mais fechado da Terra. Tirou a calcinha, o sutiã, sentiu-se indefesa e protegida ao mesmo tempo. O chicote de novo estalou no ar, desta vez sem tocar seu corpo.

— Mantenha a cabeça baixa! Você está aqui para ser humilhada, para ser submetida a tudo o que eu desejar, entende?

— Sim, senhor.

Ele agarrou seus braços e colocou o primeiro par de algemas em seus pulsos.

— E vai apanhar muito. Até aprender a comportar-se.

Deu-lhe um tapa nas nádegas. Maria gritou, dessa vez tinha doído.

— Ah, e está reclamando, não é? Pois vai ver o que é bom. — Antes que ela pudesse reagir, uma mordaça de couro prendeu sua boca. Não a impedia de falar, podia dizer "amarelo" ou "vermelho", mas sentia que era seu destino deixar que aquele homem pudesse fazer dela o que quisesse, e não tinha como escapar dali. Estava nua, amordaçada, algemada, com vodca correndo no lugar do sangue.

Outro tapa nas nádegas.

— Ande de um lado para outro!

Maria começou a andar, obedecendo aos comandos "pare", "vire para a direita", "sente-se", "abra as pernas". Vez por outra, mesmo sem nenhum motivo, levava uma palmada e sentia a dor, sentia a humilhação — que era mais poderosa e forte do que a dor — e sentia-se em outro mundo, onde não existia mais nada, e isso era uma sensação quase religiosa, anular-se por completo, servir, perder a ideia do ego, dos desejos, da própria vontade. Estava completamente molhada, excitada, sem compreender o que acontecia.

— Coloque-se de novo de joelhos!

Como mantinha sempre a cabeça baixa, em sinal de obediência e humilhação, Maria não podia ver exatamente o que estava se passando; mas notava que, em um outro universo, outro planeta, aquele homem estava ofegante, cansado de estalar o chicote e espancar-lhe as nádegas com a palma da mão aberta, enquanto ela se sentia cada vez mais cheia de força e energia. Agora tinha perdido a vergonha, e não se incomodava de mostrar que estava gostando, começou a gemer, pediu que ele lhe tocasse o sexo, mas o homem, em vez disso, agarrou-a e atirou-a na cama.

Com violência — mas uma violência que ela sabia que não ia lhe causar nenhum mal — abriu suas pernas e amarrou cada uma delas em um lado da cama. As mãos algemadas nas costas, as pernas abertas, a mordaça na boca, quando ele iria penetrá-la? Não via que ela já estava pronta, que queria servi-lo, era sua escrava, seu animal, seu objeto, faria qualquer coisa que ele mandasse?

— Você gostaria que eu a arrebentasse toda?

Ela viu que ele encostava o cabo do chicote em seu sexo. Esfregou-o de cima a baixo e, na hora em que tocou em seu clitóris, ela perdeu o controle. Não sabia há quanto tempo estavam ali, não imaginava quantas vezes tinha sido espancada, mas de repente veio o orgasmo, o orgasmo que dezenas, centenas de homens, em todos aqueles meses, jamais conseguiram despertar. Uma luz explodiu, ela sentia que entrava em uma espécie de buraco negro em sua própria alma, onde a dor intensa e o medo se misturavam com o prazer total. Aquilo a empurrava além de todos os limites que conhecera, e Maria gemeu, gritou com a voz sufocada pela mordaça, sacudiu-se na cama, sentindo que as algemas lhe cortavam os pulsos e as tiras de couro lhe machucavam os tornozelos, mexeu-se como nunca justamente porque não podia se mexer, gritou como jamais tinha gritado, porque tinha uma mordaça na boca e ninguém poderia escutá-la. Aquilo era a dor e o prazer, o cabo do chicote pressionando o clitóris cada vez mais forte, e o orgasmo saindo pela boca, pelo sexo, pelos poros, pelos olhos, por toda a sua pele.

Entrou em uma espécie de transe, e pouco a pouco foi descendo, descendo, já não havia mais o chicote entre as pernas, apenas os cabelos molhados pelo suor abundante, e mãos carinhosas que lhe retiravam as algemas e desatavam as tiras de couro dos seus pés.

Ela ficou ali deitada, confusa, incapaz de olhar o homem porque estava com vergonha de si mesma, de seus gritos, de seu orgasmo. Ele lhe acariciava os cabelos, e também arfava — mas o prazer tinha sido exclusivamente seu; ele não tivera nenhum momento de êxtase.

O seu corpo nu abraçou aquele homem completamente vestido, exausto de tantas ordens, tantos gritos, tanto controle da situação. Agora não sabia o que dizer, como continuar, mas estava segura, protegida, porque ele a convidara a ir até uma parte sua que não conhecia, era seu protetor e seu mestre.

Começou a chorar, e ele pacientemente esperou que terminasse.

— O que você fez comigo? — dizia entre lágrimas.

— O que você queria que eu fizesse.

Ela o olhou e sentiu que precisava desesperadamente dele.

— Eu não a forcei, não a obriguei, e não escutei você dizer: "amarelo"; meu único poder era o que você me dava. Não existia nenhum tipo de obrigação, de chantagem, existia apenas a sua vontade; embora você fosse a escrava e eu fosse o senhor, meu único poder era empurrá-la em direção à sua própria liberdade.

Algemas. Tiras de couro nos pés. Mordaça. Humilhação, que era mais forte e mais intensa que a dor. Mesmo assim — ele tinha razão —, a sensação era de total liberdade. Maria estava repleta de energia, de vigor, e surpresa ao notar que o homem a seu lado estava exausto.

— Você chegou ao orgasmo?

— Não — disse ele. — O senhor está ali para forçar o escravo. O prazer do escravo é a alegria do senhor.

Nada disso fazia sentido, porque não é o que contam as histórias, não é assim na vida real. Mas ali era um mundo de fantasia, ela estava cheia de luz, e ele parecia opaco, exaurido.

— Pode ir quando quiser — disse Terence.

— Não quero ir, quero entender.

— Não há o que entender.

Ela levantou-se, na beleza e intensidade de sua nudez, e serviu duas taças de vinho. Acendeu dois cigarros, e lhe deu um — os papéis estavam trocados, era a senhora que servia o escravo, recompensando-o pelo prazer que lhe dera.

— Vou me vestir e vou embora. Mas gostaria de conversar um pouco.

— Não há o que conversar. Era isso que eu queria, e você foi maravilhosa. Estou cansado, tenho de voltar amanhã para Londres.

Ele deitou-se e fechou os olhos. Maria não sabia se estava fingindo dormir, mas não importava; fumou o cigarro com prazer, bebeu lentamente seu copo de vinho com o rosto colado na vidraça, olhando o lago em frente e desejando que alguém, na outra margem, a visse assim — nua, plena, satisfeita, segura.

Vestiu-se, saiu sem dizer adeus, e sem se importar

se abria ou não a porta, porque não tinha certeza se queria voltar.

Terence escutou a porta bater, esperou para ver se ela não voltava dizendo que tinha esquecido alguma coisa e só depois de alguns minutos levantou-se e acendeu outro cigarro.

A menina tinha estilo, pensou. Soubera aguentar o chicote, embora este fosse o mais comum, o mais antigo e o menor de todos os suplícios. Por um momento, lembrou-se da primeira vez que experimentara esta misteriosa relação entre dois seres que desejam se aproximar, mas só conseguem isso infligindo sofrimento um ao outro.

Lá fora, milhões de casais praticavam sem se dar conta, todos os dias, a arte do sadomasoquismo. Iam para o trabalho, voltavam, reclamavam de tudo, agrediam ou eram agredidos pela mulher, sentiam-se miseráveis — mas profundamente ligados à própria infelicidade, sem saber que bastava um gesto, um "até nunca mais", para se libertarem da opressão. Terence experimentara isso com sua primeira esposa, uma famosa cantora inglesa; vivia torturado por ciúmes, fazendo cenas, passando dias sob o efeito de calmantes, e noites embriagado de álcool. Ela o amava, não entendia por que agia assim, ele a amava — tampouco entendia seu próprio comportamento. Mas era como se a agonia que um infligia ao outro fosse necessária, fundamental para a vida.

Certa vez, um músico — que ele considerava muito estranho, porque parecia normal demais naquele meio de gente exótica — esqueceu um livro no estúdio. A *Vênus Castigadora*, de Leopold von Sacher-Masoch. Terence começou a folheá-lo e, à medida que lia, compreendia melhor a si mesmo:

A *linda mulher despiu-se e pegou um longo chicote, com um pequeno cabo, que prendeu ao pulso. "Você pediu", disse ela. "Então vou chicoteá-lo." "Faça isso", sussurrou seu amante. "Eu lhe imploro."*

Sua mulher estava do outro lado da divisória de vidro do estúdio, ensaiando. Tinha pedido que desligasse o microfone que permitia aos técnicos escutarem tudo, e fora obedecida. Terence pensava que talvez estivesse marcando um encontro com o pianista, e deu-se conta: ela o levava à loucura — mas parecia que já tinha se acostumado a sofrer, e não podia viver sem aquilo.

"Vou chicoteá-lo", dizia a mulher despida, no romance que tinha em mãos. *"Faça isso, eu lhe imploro."*

Ele era bonito, tinha poder na gravadora, por que precisava levar a vida que estava levando?

Porque gostava. Merecia sofrer muito, já que a vida tinha sido muito boa para ele e não era digno de todas aquelas bênçãos — dinheiro, respeito, fama. Achava que sua carreira o estava levando a um ponto em que passaria a depender do sucesso, e aquilo o assustava, porque já tinha visto muita gente despencar das alturas.

Leu o livro. Começou a ler tudo o que lhe caía nas mãos a respeito da misteriosa união entre dor e prazer. A mulher descobriu os vídeos que alugava, os livros que escondia, perguntou o que era aquilo, se ele estava doente. Terence respondeu que não, era uma pesquisa para o visual de um novo trabalho que ela devia fazer. E sugeriu, como quem não quer nada:

"Talvez devêssemos experimentar."

Experimentaram. No começo, com muita timidez, baseados apenas nos manuais que encontravam em lojas pornográficas. Aos poucos foram desenvolvendo novas técnicas, indo até os limites, correndo riscos — mas sentindo que o casamento estava cada vez mais sólido. Eram cúmplices em algo escondido, proibido, condenado.

A experiência dos dois transformou-se em arte: criaram novos figurinos — couro e tachas de metal. A mulher entrava em cena com um chicote, ligas, botas, e levava a plateia ao delírio. O novo disco foi para o primeiro lugar das paradas de sucesso na Inglaterra, e dali seguiu uma carreira vitoriosa em toda a Europa. Terence se surpreendia de como a juventude aceitava seus delírios pessoais com tanta naturalidade, e sua única explicação era que, desta maneira, a violência contida podia se manifestar de forma intensa, mas inofensiva.

O chicote passou a ser o símbolo do grupo, e começou a ser reproduzido em camisetas, tatuagens, adesivos, cartões-postais. A formação intelectual de Terence o fez buscar a origem daquilo tudo, para entender melhor a si mesmo.

Não eram, como dissera para a prostituta em seu encontro, os penitentes que procuravam afastar a peste negra. Desde a noite dos tempos, o homem entendera que o sofrimento, uma vez encarado sem temor, era seu passaporte para a liberdade.

Egito, Roma e Pérsia já tinham a noção de que, se um homem se sacrifica, ele salva o país e seu mundo. Na China, se acontecia uma catástrofe natural, o imperador era castigado, por ser ele o representante da divindade na Terra. Os melhores guerreiros de Esparta, na Grécia antiga, eram chicoteados uma vez por ano, da manhã até a noite, em homenagem à deusa Diana — enquanto a multidão gritava palavras de incentivo, pedindo que aguentassem a dor com dignidade, pois ela os prepararia para o mundo das guerras. No final do dia, os sacerdotes examinavam as feridas deixadas nas costas dos guerreiros, e por meio delas previam o futuro da cidade.

Os padres do deserto, uma antiga comunidade cristã do século IV que se reunia em torno de um mosteiro em Alexandria, usavam a flagelação como meio de afastar os demônios ou demonstrar a inutilidade do corpo durante a busca espiritual. A história dos santos estava cheia de exemplos — Santa Rosa corria pelo jardim enquanto os espinhos feriam sua carne, São Domingos Loricatus chicoteava-se regularmente todas as noites antes de dormir, os mártires se entregavam voluntariamente à morte lenta na cruz ou nos dentes de animais selvagens. Todos diziam que a dor, uma vez superada, era capaz de levar ao êxtase religioso.

Estudos recentes, não confirmados, indicavam que um certo tipo de fungo, com propriedades alucinógenas, desenvolvia-se nas feridas, o que causava as visões. O prazer parecia ser tanto que a prática logo deixou os conventos e começou a ganhar o mundo.

Em 1718, foi publicado o *Tratado de autoflagelação*, que ensinava como descobrir o prazer por meio da dor, mas sem causar dano ao corpo. No final daquele século, existiam dezenas de lugares em toda a Europa onde as pessoas sofriam para chegar à alegria. Há registros de reis e princesas que se deixavam flagelar por seus escravos, até descobrirem que o prazer estava não apenas em apanhar, mas também em aplicar a dor — embora fosse mais exaustivo e menos gratificante.

Enquanto fumava seu cigarro, Terence experimentava um certo prazer em saber que a maior parte da humanidade jamais poderia compreender o que ele estava pensando.

Melhor assim: pertencer a um clube fechado, ao qual só os eleitos tinham acesso. Lembrou-se de novo de como o tormento de ser casado havia se transformado na maravilha de ser casado. Sua mulher sabia que visitava Genève com esse propósito, e não se incomodava — pelo contrário, neste mundo doente, ela ficava feliz por seu marido conseguir a recompensa que desejava depois de uma semana de trabalho árduo.

Enquanto fumava seu cigarro olhando o lago diante da janela, sentia de novo a vontade de viver. A menina que acabara de sair do quarto havia entendido tudo. Sentia que sua alma estava próxima dela, embora não estivesse ainda pronto para se apaixonar, porque amava sua mulher. Mas gostou de pensar que era livre e podia sonhar com um novo relacionamento.

Faltava apenas fazê-la experimentar o que havia de mais difícil: transformá-la na Vênus Castigadora, na Dominatrix, na Senhora, capaz de humilhar e punir sem piedade. Se passasse na prova, estaria pronto para abrir o seu coração e deixá-la entrar.

* * *

DO DIÁRIO DE MARIA, ainda embriagada pela vodca e pelo prazer:

Quando eu não tinha nada a perder, eu recebi tudo. Quando deixei de ser quem era, encontrei a mim mesma.

Quando conheci a humilhação e a submissão total, fiquei livre. Não sei se estou doente, se tudo aquilo foi um sonho ou se acontece apenas uma vez. Sei que posso viver sem isso, mas gostaria de encontrá-lo de novo, de repetir a experiência, ir mais longe do que fui.

Estava um pouco assustada com a dor, mas ela não era tão forte quanto a humilhação — era apenas um pretexto. No momento em que tive o primeiro orgasmo em muitos meses, apesar dos muitos homens e das muitas coisas diferentes que fizeram com meu corpo, senti-me — será que isso é possível? — mais perto de Deus. Lembrei-me do que ele disse a respeito da peste negra, do momento em que os flagelantes, ao oferecerem sua dor pela salvação da humanidade, encontravam nela o prazer. Eu não queria salvar a humanidade, ou a ele, ou a mim mesma — estava apenas ali.

O sexo é a arte de controlar o descontrole.

Não era um teatro, estavam na estação de trem de verdade, a pedido de Maria, que gostava de uma pizza só encontrada ali. Não fazia mal ser um pouco caprichosa. Ralf devia ter aparecido um dia antes, quando ainda era uma mulher em busca de amor, lareira, vinho, desejo. Mas a vida escolhera de maneira diferente, e hoje passara o dia inteiro sem precisar fazer o seu exercício de concentrar-se nos sons e no presente, simplesmente porque não pensara nele, havia descoberto coisas que lhe interessavam mais.

O que fazer com o homem ao seu lado, comendo uma pizza de que talvez não gostasse, apenas para passar o tempo e aguardar o momento de irem até sua casa? Quando ele entrara na boate e lhe oferecera um drinque, Maria pensara em dizer que já não tinha mais interesse, que procurasse outra pessoa; por outro lado, tinha uma imensa necessidade de conversar com alguém sobre a noite anterior.

Tentara com uma ou outra prostituta que também servia aos "clientes especiais", mas nenhuma lhe dera maior atenção, porque Maria era esperta, aprendia rápido, havia se transformado na grande ameaça do Copacabana. Ralf Hart, de todos os homens que conhecia, era talvez o único que poderia entender, pois Milan o considerava um "cliente especial". Mas ele a enxergava com os olhos iluminados de amor, e isso tornava as coisas mais difíceis. Melhor não dizer nada.

— O que você sabe de dor, sofrimento e muito prazer?

Mais uma vez ela não tinha conseguido se controlar. Ralf parou de comer a pizza.

— Sei tudo. E não me interessa.

A resposta viera rápida, e Maria ficou chocada. Então, todo mundo sabia tudo, menos ela? Que mundo era aquele, meu Deus?

— Conheci meus demônios e minhas trevas — continuou Ralf. — Fui até o fundo, experimentei tudo, não apenas nesta área, mas em muitas outras. Entretanto, na vez mais recente que nos encontramos, cheguei aos meus limites através do desejo, e não da dor. Mergulhei no fundo da minha alma, e sei que ainda quero coisas boas, muitas coisas boas desta vida.

Teve vontade de dizer: "Uma delas é você, por favor, não siga esse caminho". Mas não teve coragem; em vez disso, chamou um táxi e pediu que os levasse até a beira do lago — onde, uma eternidade antes, tinham andado juntos no dia em que se conheceram. Maria estranhou o pedido, ficou quieta — o instinto lhe dizia que tinha muito a perder, embora sua mente ainda estivesse embriagada com o que acontecera na véspera.

Só acordou de sua passividade quando chegaram ao jardim à beira do lago; embora ainda fosse verão, já começava a fazer muito frio durante a noite.

— O que fazemos aqui? — perguntou, quando saltaram. — Está ventando, vou pegar um resfriado.

— Estive pensando muito em seu comentário na estação de trem. Sofrimento e prazer. Tire os sapatos.

Ela lembrou-se de que certa vez um dos seus fregueses pedira a mesma coisa, e ficara excitado apenas de olhar seus pés. Será que a aventura não a deixava em paz?

— Vou pegar um resfriado — insistiu.

— Faça o que estou dizendo — insistiu ele. — Não vai pegar nenhum resfriado, se não demorarmos muito. Acredite em mim, como eu acredito em você.

Sem nenhuma razão aparente, Maria entendeu que ele estava querendo ajudá-la; talvez porque já tivesse bebido de uma água muito amarga, e achasse que ela corria o mesmo risco. Não queria ser ajudada; estava contente com seu novo mundo, onde descobrira que o sofrimento não era mais um problema. Entretanto, pensou no Brasil, na impossibilidade de encontrar um parceiro para compartilhar esse universo diferente; e, como o Brasil era mais importante que tudo em sua vida, ela tirou os sapatos. O chão estava cheio de pequenas pedras, que logo rasgaram suas meias — mas isso não tinha importância, compraria outras.

— Tire o casaco.

Ela podia ter dito que "não", mas, desde a noite anterior, acostumara-se à alegria de poder dizer "sim" a tudo o que estava no seu caminho. Tirou o casaco, o corpo ainda quente não reagiu logo, mas aos poucos o frio começou a incomodá-la.

— Vamos andar. E vamos conversar.

— Aqui é impossível: o chão está cheio de pedras.

— Justamente por isso; quero que você sinta essas pedras, quero que lhe provoquem dor, que a machuquem, porque você deve ter experimentado — assim como eu experimentei — o sofrimento aliado ao prazer, e preciso arrancar isso de sua alma.

Maria sentiu vontade de dizer: "Não precisa, eu gosto". Mas começou a caminhar sem pressa, as solas dos pés ardendo, por causa do frio e das pontas das pedras.

— Uma das minhas exposições me levou ao Japão, justamente quando eu estava imerso naquilo que você chamou de "sofrimento, humilhação e muito prazer". Naquela época, eu achava que não havia um caminho de volta, que iria cada vez mais fundo e nada mais restava na minha vida, exceto a vontade de punir e ser punido.

"Afinal, somos seres humanos, nascemos cheios de culpa, ficamos com medo quando a felicidade se transforma em algo possível, e morremos querendo castigar os outros porque sempre nos sentimos impotentes, injustiçados, infelizes. Pagar seus pecados e poder castigar os pecadores — ah, isso não é uma delícia? Sim, é ótimo."

Maria andava, a dor e o frio tornavam difícil prestar atenção em suas palavras, mas ela se esforçava.

— Hoje notei as marcas em seus pulsos.

As algemas. Tinha colocado várias pulseiras para disfarçar, no entanto, os olhos acostumados sempre sabem o que estão buscando.

— Enfim, se tudo aquilo que você experimentou recentemente a está conduzindo a dar esse passo, não sou eu que vou impedi-la; mas nada disso tem relação com a verdadeira vida.

— Passo?

— Dor e prazer. Sadismo e masoquismo. Chame como quiser, mas, se estiver convencida de que este é o seu caminho, sofrerei, lembrarei do desejo, dos encontros, do passeio pelo Caminho de Santiago, de sua luz. Terei guardada em um lugar especial uma caneta e, cada vez que acender aquela lareira, me lembrarei de você. Entretanto, não a procurarei mais.

Maria sentiu medo, achou que era hora de recuar, falar a verdade, deixar de fingir que sabia mais que ele.

— O que experimentei recentemente, melhor dizendo, ontem, jamais tinha experimentado. E me assusta que, no limite da degradação, seja possível encontrar a mim mesma.

Estava ficando difícil continuar conversando — seus dentes batiam de frio e seus pés doíam muito.

— Na minha exposição, em uma região chamada Kumano, apareceu um lenhador — continuou Ralf, como se não tivesse escutado o que ela dizia. — Não gostou dos meus quadros, mas foi capaz de decifrar, através da pintura, o que eu estava vivendo e sentindo. No dia seguinte, me procurou no hotel e perguntou se eu estava contente; se estivesse, devia continuar fazendo o que gostava. Se não estivesse, deveria acompanhá-lo e passar uns dias com ele.

"Me fez andar nas pedras, como estou fazendo com você agora. Me fez sentir frio. Me obrigou a entender a beleza da dor, só que era uma dor impingida pela natureza, não pelo homem. Chamava isso de *Shugen-do*, uma prática milenar.

"Disse-me que era um homem que não tinha medo da dor, e isso era bom, porque para dominar a alma você tem de aprender também a dominar o corpo. Disse-me também que eu estava usando a dor de maneira errada, e isso era muito ruim.

"Aquele lenhador ignorante achava que me conhecia melhor do que eu, e isso me irritava, ao mesmo tempo que me deixava orgulhoso de saber que os meus quadros eram capazes de expressar exatamente o que eu estava sentindo."

Maria sentiu que uma pedra mais pontiaguda lhe cortara o pé, mas o frio era mais forte, seu corpo estava ficando dormente e não conseguia acompanhar direito as palavras de Ralf Hart. Por que os homens, neste mundo santo de Deus, só tinham interesse em mostrar-lhe a dor? A dor sagrada, a dor com prazer, a dor com explicações ou sem explicações, mas era sempre dor, dor...

O pé machucado tocou em outra pedra, ela reprimiu o grito e continuou andando. No começo tinha procurado manter sua integridade, seu autodomínio, aquilo que ele chamava de "luz". Mas agora estava andando devagar, enquanto seu estômago e seu pensamento davam voltas. Pensou em vomitar. Pensou em parar. Nada daquilo fazia sentido. E não parou.

Não parou em respeito a si mesma: podia aguentar aquela caminhada descalça pelo tempo que fosse necessário, porque não ia durar toda a sua vida. E de repente outro pensamento cruzou o espaço: e se não pudesse comparecer ao Copacabana no dia seguinte, por causa de um sério problema nos pés, ou por uma febre causada pela gripe que, tinha certeza, iria instalar-se em seu corpo pouco agasalhado? Pensou nos fregueses que a esperavam, em Milan que confiava tanto nela, no dinheiro que deixaria de ganhar, na fazenda, nos pais orgulhosos. Mas o sofrimento logo afastou qualquer tipo de reflexão, e ela colocava um pé diante do outro, louca para que Ralf Hart reconhecesse seu esforço e lhe dissesse que bastava, que podia calçar os sapatos.

Ele, no entanto, parecia indiferente, distante, como se aquela fosse a única maneira de livrá-la de algo que não conhecia direito, que a seduzia, mas que terminaria por deixar marcas mais fundas do que as das algemas. Embora soubesse que ele tentava ajudá-la, e por mais que se esforçasse para ir adiante e mostrar a luz de sua força de vontade, a dor não permitia que ela tivesse pensamentos profanos ou nobres — era apenas dor, que ocupava todo o espaço, a assustava e a obrigava a pensar que tinha um limite, e que não iria conseguir.

Mas deu mais um passo.

E outro.

A dor agora parecia invadir-lhe a alma e enfraquecê-la espiritualmente, porque uma coisa é fazer um pouco de teatro em um hotel cinco estrelas, nua, com vodca, caviar e um chicote entre as pernas; outra coisa é estar no frio, descalça, com pedras lhe cortando os pés. Estava desorientada, não conseguia trocar uma só palavra com Ralf Hart, tudo o que existia em seu universo eram as pedras pequenas e cortantes que marcavam a trilha por entre as árvores.

Então, quando pensava que ia desistir, um estranho sentimento a invadiu: tinha atingido o seu limite, e além dele estava um espaço vazio, no qual ela parecia flutuar acima de si mesma, e ignorar o que estava sentindo. Seria esta a sensação que os penitentes experimentavam? No outro extremo da dor, descobria uma porta para um nível diferente de consciência, e já não havia espaço para mais nada, apenas para a natureza implacável — e para ela mesma, invencível.

Tudo à sua volta transformou-se em um sonho: o jardim mal iluminado, o lago escuro, o homem em silêncio, um casal ou outro que passeava, sem perceber que ela estava descalça, andando com dificuldade. Não sabia se era o frio ou o sofrimento, mas de repente deixou de sentir seu corpo, entrou em um estado em que não existe qualquer desejo ou medo, apenas uma misteriosa — como poderia chamar isso? —, uma misteriosa "paz". O limite da dor não era o seu limite; podia ir além dele.

Pensou em todos os seres humanos que sofriam sem pedir, e ali estava ela, provocando seu próprio sofrimento — mas aquilo não importava mais, havia cruzado as fronteiras do corpo, e agora lhe restava apenas a alma, a "luz", uma espécie de vazio, que alguém, algum dia, chamou de Paraíso. Existem certos sofrimentos que só podem ser esquecidos quando conseguimos flutuar acima de nossas dores.

A última coisa de que se lembrou foi de Ralf pegando-a no colo, tirando a jaqueta que ele vestia e colocando-a em seus ombros. Devia ter desmaiado de frio, mas pouco importava; estava contente, não tinha medo — havia vencido. Não se humilhara diante daquele homem.

Os minutos se transformaram em horas, ela devia ter dormido em seus braços, porque quando acordou, embora ainda fosse de noite, estava em um quarto com um aparelho de TV em um dos cantos, e mais nada. Branco, vazio.

Ralf apareceu com um chocolate quente.

— Tudo bem — disse ele. — Você chegou aonde devia chegar.

— Não quero chocolate, quero vinho. E quero descer para nosso lugar, a lareira, os livros espalhados por todo canto.

Tinha dito "nosso lugar". Não era o que havia planejado.

Olhou os seus pés; afora um pequeno corte, havia apenas marcas vermelhas, que deviam desaparecer em algumas horas. Com certa dificuldade, desceu as escadas sem prestar muita atenção a nada; foi para o seu canto, no tapete ao lado da lareira — descobrira que sempre que estava ali se sentia bem, como se fosse o seu "sítio", seu lugar naquela casa.

— O tal lenhador me disse que, quando se faz um tipo de exercício físico, quando se exige tudo de seu corpo, a mente ganha uma força espiritual estranha, que tem a ver com a "luz" que vi em você. O que sentiu?

— Que a dor é amiga da mulher.

— Esse é o perigo.

— Que a dor tem um limite.

— Essa é a salvação. Não se esqueça disso.

A mente de Maria ainda estava confusa; experimentara a tal "paz" quando fora além do seu limite. Ele lhe mostrara outro tipo de sofrimento, e também esse lhe dera um estranho prazer.

Ralf pegou uma grande pasta e abriu-a na sua frente. Eram desenhos.

— A história da prostituição. Foi o que você me pediu, quando nos encontramos.

Sim, havia pedido, mas era apenas uma maneira de passar o tempo, de tentar ser interessante. Isso não tinha a menor importância agora.

— Durante todos esses dias, estive navegando em um mar desconhecido. Não achei que houvesse uma história, pensava apenas que era a profissão mais antiga do mundo, como dizem as pessoas. Mas existe uma história; melhor dizendo, duas histórias.

— E esses desenhos?

Ralf Hart pareceu um pouco decepcionado porque ela não compreendia, mas logo se controlou e seguiu adiante.

— São as coisas que coloquei no papel enquanto lia, pesquisava, aprendia.

— Falaremos disso outro dia; hoje não quero mudar de assunto, preciso entender a dor.

— Você a sentiu ontem, e descobriu que ela a conduzia ao prazer. Você a sentiu hoje, e encontrou a paz. Por isso eu lhe digo: não se acostume, porque é muito fácil viver com ela, é uma droga poderosa. Está no nosso cotidiano, no sofrimento escondido, na renúncia ao amor, quando o culpamos pela derrota de nossos sonhos. A dor assusta quando mostra sua verdadeira face, mas é sedutora quando está vestida de sacrifício, renúncia. Ou covardia. O ser humano, por mais que a rejeite, sempre encontra um meio de estar com ela, namorá-la, fazer com que seja parte da sua vida.

— Não acredito. Ninguém deseja sofrer.

— Se você conseguir entender que pode viver sem sofrimento, já é um grande passo... mas não creia que outras pessoas irão compreendê-la. Sim, ninguém deseja sofrer, e mesmo assim quase todos procuram a dor, o sacrifício, e sentem-se justificados, puros, merecedores do respeito dos filhos, do marido, dos vizinhos, de Deus. Não pensemos nisso agora, saiba apenas que o que move o mundo não é a busca do prazer, mas a renúncia a tudo o que é importante.

"O soldado vai para a guerra matar o inimigo? Não, vai morrer por seu país. A mulher gosta de mostrar que está contente ao marido? Não, quer que ele veja quanto se dedica, quanto sofre para vê-lo feliz. O marido vai para o trabalho achando que encontrará sua realização pessoal? Não, está dando seu suor e suas lágrimas pelo bem da família. E por aí vai: filhos que renunciam aos sonhos para alegrar os pais, pais que renunciam à vida para alegrar os filhos, dor e sofrimento justificando aquilo que devia trazer apenas alegria: amor."

— Pare.

Ralf parou. Era o momento certo para mudar de assunto, e começou a mostrar um desenho após outro. No início, tudo parecia confuso, havia contornos de pessoas mas também rabiscos, cores, traços nervosos ou geométricos. Aos poucos, porém, ela começou a entender o que ele dizia, porque cada palavra sua era acompanhada de um gesto de mão, e cada frase a colocava no mundo de que até então se negara a fazer parte — dizendo para si mesma que tudo não passava de um período em sua vida, uma maneira de ganhar dinheiro e nada mais.

— Sim, descobri que não há apenas uma, mas duas histórias sobre a prostituição. A primeira você conhece muito bem porque é também a sua: uma moça bonita, por diversas razões que ela escolheu — ou que escolheram por ela —, descobre que a única maneira de sobreviver é vendendo o seu corpo. Algumas terminam dominando nações, como Messalina fez com Roma, outras se transformam em mitos, como Madame Du Barry, outras ainda namoram a aventura e a desgraça ao mesmo tempo, como a espiã Mata Hari. Mas a maioria jamais irá encontrar um momento de glória ou um grande desafio: serão para sempre meninas do interior que vêm em busca de fama, marido, aventura e acabam descobrindo uma outra realidade, mergulham nela por algum tempo, se acostumam, acham que estão sempre no controle e não conseguem fazer mais nada.

"Os artistas continuam fazendo suas esculturas, pinturas e escrevendo seus livros há mais de três mil anos. Da mesma maneira, as prostitutas continuam seu trabalho através do tempo como se nada tivesse mudado muito. Quer saber detalhes?"

Maria fez que sim com a cabeça. Precisava ganhar tempo, entender a dor, começava a ter a sensação de que algo muito ruim havia saído de seu corpo enquanto caminhava no parque.

— Aparecem prostitutas nos textos clássicos, nos hieróglifos egípcios, na escrita suméria, no Antigo e no Novo Testamento. Mas a profissão só começa a se organizar no século VI a.C., quando o legislador Sólon, na Grécia, institui bordéis controlados pelo Estado e inicia a cobrança de impostos pelo "comércio da carne". Os homens de negócios atenienses se alegram porque o que antes era proibido agora passa a ser legal. As prostitutas, por seu lado, começam a ser classificadas segundo os impostos que pagam.

"A mais barata é chamada de *pornai*, escrava que pertence aos donos do estabelecimento. Em seguida, vem a *peripatética*, que consegue seus fregueses na rua. Finalmente, no nível mais alto de preço e de qualidade, está a *hetaera*, "a companhia feminina", que segue os homens de negócios em suas viagens, frequenta os restaurantes chiques, é dona de seu próprio dinheiro, dá conselhos, interfere na vida política da cidade. Como você vê, o que aconteceu ontem acontece também hoje.

"Na Idade Média, por causa das doenças sexualmente transmissíveis..."

Silêncio, medo de gripe, calor da lareira — agora necessária para aquecer seu corpo e sua alma. Maria não quer mais ouvir aquela história — dava-lhe a sensação de que o mundo havia parado, que tudo se repetia, e o homem jamais seria capaz de dar ao sexo o respeito merecido.

— Você não parece interessada.

Ela fez um esforço. Afinal de contas, era o homem a quem decidira entregar seu coração, embora já não estivesse tão segura.

— Não estou interessada naquilo que conheço; isso me entristece. Você me disse que havia outra história.

— A outra história é exatamente o oposto: a prostituição sagrada.

De repente, ela saíra do seu estado sonolento e o escutava com atenção. Prostituição sagrada? Ganhar dinheiro com sexo e ainda assim aproximar-se de Deus?

— O historiador grego Heródoto escreve, a respeito da Babilônia: "Existe ali um costume muito estranho: toda mulher que nasceu na Suméria é obrigada, pelo menos uma vez na vida, a ir até o templo da deusa Ishtar e entregar seu corpo a um desconhecido, como símbolo de hospitalidade, e por um preço simbólico".

Depois iria perguntar quem era essa deusa; talvez também ela a ajudasse a recuperar algo que havia perdido, e não sabia o que era.

— A influência da deusa Ishtar espalhou-se por todo o Oriente Médio, atingiu a Sardenha, a Sicília e os portos do mar Mediterrâneo. Mais tarde, durante o Império Romano, outra deusa, Vesta, exige a virgindade total, ou a entrega total. Para manter o fogo sagrado, mulheres do seu templo se encarregavam de iniciar os jovens e os reis no caminho da sexualidade — cantavam hinos eróticos, entravam em transe e entregavam seu êxtase ao Universo, numa espécie de comunhão com a divindade.

Ralf Hart mostrou uma fotocópia de algumas letras antigas, com a tradução em alemão no pé da página. Declamou-a devagar, traduzindo cada verso:

Quando estou sentada na porta de uma taverna,
eu, Ishtar, a deusa,
sou prostituta, mãe, esposa, divindade.
Sou o que chamam de Vida,
embora vocês chamem de Morte.
Sou o que chamam de Lei,
embora vocês chamem de Marginal.
Eu sou o que vocês buscam
e aquilo que conseguiram.
Eu sou aquilo que vocês espalharam
e agora recolhem meus pedaços.

Maria deu alguns soluços, e Ralf Hart riu; sua energia vital estava voltando, a "luz" começava de novo a brilhar. Era melhor continuar com a história, mostrar os desenhos, fazê-la sentir-se amada.

— Ninguém sabe por que a prostituição sagrada desapareceu, depois de haver durado pelo menos dois milênios. Talvez por causa das doenças, ou de uma sociedade que mudou suas regras quando as religiões também mudaram. Enfim, isso não existe mais, e não voltará a existir. Hoje em dia, os homens controlam o mundo, e o termo serve apenas para criar um estigma, e chamar de prostituta qualquer mulher que ande fora da linha.

— Você pode ir ao Copacabana amanhã?

Ralf não entendeu a pergunta, mas concordou imediatamente.

* * *

DO DIÁRIO DE MARIA, na noite em que caminhou descalça pelo Jardim Inglês em Genève:

Não me interessa se algum dia já foi sagrado ou não, mas EU ODEIO O QUE FAÇO. Está destruindo minha alma, me fazendo perder o contato comigo mesma, me ensinando que a dor é uma recompensa, o dinheiro compra tudo, justifica tudo.

Ninguém é feliz à minha volta; os clientes sabem que precisam pagar por aquilo que deveriam ter de graça, e isso é deprimente. As mulheres sabem que precisam vender aquilo que gostariam de entregar apenas por prazer e carinho, e isso é destruidor. Lutei muito antes de escrever isto, aceitar que estava infeliz, descontente — precisava e ainda preciso resistir mais algumas semanas.

Entretanto, não dá mais para ficar quieta, fingir que está tudo normal, que é um período, uma época da minha vida. Quero esquecê-la, preciso amar — só isso, preciso amar.

A vida é curta — ou longa demais para que eu possa me dar ao luxo de vivê-la tão mal.

Não é a casa dele. Não é a sua casa. Não é nem Brasil, nem Suíça, mas um hotel — que pode estar em qualquer lugar do mundo, sempre com os mesmos móveis, e aquele ambiente que pretende ser familiar, o que o faz ainda mais distante.

Não é o hotel com a bela vista para o lago, a lembrança da dor, do sofrimento, do êxtase; suas janelas dão para o Caminho de Santiago, uma rota de peregrinação, mas não de penitência, um lugar onde as pessoas se encontram nos cafés à beira da estrada, descobrem a "luz", conversam, ficam amigas, se apaixonam. Está chovendo, e a essa hora da noite ninguém anda por ali, mas andaram durante muitos anos, décadas, séculos — talvez o caminho precise respirar, descansar um pouco dos muitos passos que todos os dias se arrastam por ele.

Apagar a luz. Fechar as cortinas.

Pedir que tirasse a roupa, tirar também a sua. A escuridão física nunca é total, e, quando os olhos já estão acostumados, poder ver, no contorno de uma pequena luz que entra não se sabe de onde, a silhueta do homem. Da outra vez que se encontraram, apenas ela havia deixado parte do seu corpo nu.

Tirar dois lenços, cuidadosamente dobrados, lavados e enxaguados várias vezes, de modo a não ficar nenhum traço de perfume ou de sabão. Aproximar-se dele e pedir que vende seus olhos. Ele hesita por um momento, e comenta sobre alguns dos infernos por que já passou. Ela diz que não se trata disso, que precisa apenas da escuridão total, que agora é sua vez de ensinar-lhe algo, como ontem ele havia lhe ensinado sobre a dor. Ele se entrega, coloca a venda. Ela faz o mesmo; agora já não há fresta de luz, estão no verdadeiro escuro, um precisa da mão do outro para chegar até a cama.

Não, não devemos nos deitar. Vamos nos sentar como sempre fizemos, frente a frente, só que um pouco mais perto, de modo que meus joelhos toquem os seus.

Sempre quis fazer isso. Mas nunca tinha o que precisava: tempo. Nem com o seu primeiro namorado, nem com o homem que a penetrou pela primeira vez. Nem com o árabe que pagou mil francos, talvez esperando mais do que ela foi capaz de dar — embora mil francos não bastassem para ela comprar o que desejava. Nem com os muitos homens que passaram pelo seu corpo, entraram por entre suas pernas e de lá saíram, às vezes pensando apenas em si mesmos, às vezes pensando também nela, às vezes com sonhos românticos, às vezes somente com o instinto de repetir algo porque lhes disseram que é assim que um homem age e, se não agir assim, não é homem.

Lembra-se do seu diário. Está farta, quer que as semanas que faltam passem rapidamente, e por isso entrega-se a este homem, porque ali está a luz de seu próprio amor escondido. O pecado original não foi a maçã que Eva comeu, foi achar que Adão precisava compartilhar exatamente o que ela havia experimentado. Eva tinha medo de seguir o seu caminho sem a ajuda de alguém, então quis dividir o que sentia.

Certas coisas não se dividem. Não devemos ter medo dos oceanos em que mergulhamos por nossa livre vontade; o medo atrapalha o jogo de todo mundo. O homem está passando por infernos para entender isso. Amemos uns aos outros, mas não tentemos possuir uns aos outros.

Eu amo este homem que está diante de mim porque não o possuo, e ele não me possui. Somos livres em nossa entrega, preciso repetir isso dezenas, centenas, milhões de vezes, até que termine por acreditar em minhas próprias palavras.

Pensa um pouco nas outras prostitutas que trabalham com ela. Pensa na sua mãe, nas suas amigas. Todas acreditam que o homem deseja apenas onze minutos por dia, e paga um dinheirão por isso. Não, não é assim. O homem também é uma mulher; quer encontrar alguém, descobrir um sentido para sua vida.

Será que sua mãe se comporta como ela e finge ter orgasmo com seu pai? Ou será que, no interior do Brasil, ainda é proibido mostrar que uma mulher tem prazer no sexo? Sabe tão pouco da vida, do amor, e agora — com os olhos vendados e todo o tempo do mundo — vai descobrindo a origem de tudo, e tudo começa onde e como ela gostaria de ter começado.

O toque. Esquece as prostitutas, os clientes, sua mãe e seu pai, agora está na escuridão total. Passou a tarde inteira procurando o que poderia dar a um homem que lhe devolvia a dignidade, lhe fazia entender que a busca da alegria é mais importante do que a necessidade da dor. Eu gostaria de lhe dar a felicidade de ensinar-me algo novo, como ontem me ensinou sobre sofrimento, prostitutas de rua, prostitutas sagradas. Vi que é feliz quando está me fazendo aprender algo, então que me faça aprender, que me guie. Eu gostaria de saber como se chega até o corpo, antes de se chegar à alma, à penetração, ao orgasmo.

Estende o braço em sua direção e pede que ele faça o mesmo. Sussurra poucas palavras, dizendo que aquela noite, naquele lugar de ninguém, gostaria que ele descobrisse sua pele, a fronteira entre ela e o mundo. Pede que a toque, que a sinta com suas mãos, porque os corpos se entendem, embora nem sempre as almas estejam de acordo. Ele começa a tocá-la, ela também o toca, e ambos, como se tivessem combinado tudo antes, evitam as partes do corpo em que a energia sexual aflora mais rapidamente.

Os dedos tocam o seu rosto, ela sente um leve cheiro de tinta, um cheiro que sempre permanecerá ali — por mais que ele lave aquelas mãos milhares, milhões de vezes —, que estava ali quando nasceu, quando ele deve ter visto a primeira árvore, a primeira casa, e decidido desenhá-las em seus sonhos. Também ele deve estar sentindo algum cheiro em sua mão, mas ela não sabe o que é, e não quer perguntar, porque neste momento tudo é corpo, o resto é silêncio.

Acaricia e sente-se acariciada. Poderia ficar assim a noite inteira, porque é gostoso, não vai terminar necessariamente em sexo — e neste momento, justamente porque não tem obrigação, ela sente um calor entre as pernas, e sabe que ficou úmida. Vai chegar a hora em que ele tocará o seu sexo, descobrirá que está molhado, não sabe se é bom ou ruim, mas é assim que seu corpo está reagindo, e não pretende dizer-lhe que vá por aqui, por ali, mais devagar, mais rápido. As mãos do homem agora estão tocando as suas axilas, os pelos de seus braços se eriçam, ela tem vontade de empurrá-las dali — mas é bom, embora talvez seja dor o que esteja sentindo. Faz o mesmo nele, nota que as axilas têm uma textura diferente, talvez por causa do desodorante que ambos usam, mas no que está pensando? Não deve pensar. Deve tocar, isso é tudo.

Os dedos dele traçam círculos em torno do seu seio, como um animal que espreita. Ela quer que se movam mais rápido, que toquem logo os mamilos, porque o seu pensamento está indo mais veloz do que as mãos dele, mas, talvez sabendo disso, ele provoca, delicia-se, e tarda uma infinidade até chegar ali. Estão duros, ele brinca um pouco, e aquilo deixa o seu corpo mais arrepiado, e seu sexo mais quente e mais úmido. Agora ele passeia por seu ventre, desvia-se e vai até as pernas, os pés, sobe e desce as mãos pelo lado interno de suas coxas, sente o calor, mas não se aproxima, é um toque doce, leve, e quanto mais leve, mais alucinante.

Ela faz o mesmo, mantendo as mãos quase flutuando, tocando apenas os pelos das pernas, e também sente o calor, quando se aproxima do sexo. De repente é como se tivesse recuperado misteriosamente a virgindade, como se descobrisse pela primeira vez o corpo de um homem. Toca-o. Não está duro como imaginava, e ela está toda molhada, isso é injusto, mas talvez o homem precise de mais tempo, sei lá.

E começa a acariciá-lo como só as virgens sabem fazer, porque as prostitutas já se esqueceram. O homem reage, o sexo começa a crescer em suas mãos, e ela aumenta lentamente a pressão, sabendo agora onde deve tocar, mais na parte de baixo do que na de cima, deve envolvê-lo com os dedos, puxar a pele para trás, em direção ao corpo. Agora ele está excitado, muito excitado, toca os lábios de sua vagina, mantendo a suavidade, e ela tem vontade de pedir que seja mais forte, coloque os dedos lá dentro, na parte de cima. Mas ele não faz isso, espalha no clitóris um pouco do líquido que jorra de seu ventre, e de novo faz os mesmos movimentos circulares que fez nos seus mamilos. Aquele homem a toca como se fosse ela mesma.

Uma das mãos dele subiu de novo para o seu seio, como é bom, como gostaria que ele a abraçasse agora. Mas não, estão descobrindo o corpo, têm tempo, precisam de muito tempo. Podiam fazer amor agora, seria a coisa mais natural do mundo, e possivelmente seria bom, mas tudo aquilo é tão novo, precisa controlar-se, não quer estragar tudo. Lembra-se do vinho que tomaram na primeira noite, lentamente, sorvendo cada gole, sentindo que a esquentava, a fazia ver o mundo de maneira diferente, a deixava mais solta e mais em contato com a vida.

Deseja também beber aquele homem, e então poderá esquecer para sempre o mau vinho, que se toma de um gole, dá uma sensação de embriaguez, mas termina em dor de cabeça e um vazio na alma.

Ela para, suavemente entrelaça seus dedos nas mãos dele, escuta um gemido e tem vontade de gemer também, mas se controla, sente que aquele calor se espalha por todo o seu corpo, o mesmo deve estar acontecendo com ele. Sem orgasmo a energia se dispersa, vai até o cérebro, não a deixa pensar em mais nada a não ser em ir até o final, mas é isso que ela quer — parar, parar no meio, espalhar o prazer por todo o corpo, invadir a mente, renovar o compromisso e o desejo, voltar a ser virgem.

Tira suavemente a venda dos próprios olhos e faz o mesmo com ele. Acende a luz da mesa de cabeceira. Os dois estão nus, e não sorriem, apenas se olham. Eu sou o amor, eu sou a música, pensa ela. Vamos dançar.

Mas não diz nada disso: conversam alguma coisa trivial, quando vamos nos encontrar de novo, ela marca uma data, talvez daqui a dois dias. Ele diz que gostaria que o acompanhasse em uma exposição, ela vacila. Isso significaria conhecer seu mundo, seus amigos, e o que vão dizer, o que vão pensar.

Diz que não. Mas ele percebe que sua vontade era dizer sim, então insiste, usando alguns argumentos tolos, mas que fazem parte da dança que estão dançando agora, ela termina por ceder, porque era isso que queria. Marca um lugar para se encontrarem, no mesmo café a que foram no primeiro dia. Ela diz que não, os brasileiros são supersticiosos, e não devem se encontrar no lugar onde se viram no primeiro dia, porque aquilo pode fechar um ciclo, e acabar tudo.

Ele diz que está contente, porque ela não quer fechar este ciclo. Decidem por uma igreja de onde se pode ver a cidade, e que está no Caminho de Santiago, parte da misteriosa peregrinação que os dois têm feito desde que se encontraram.

* * *

DO DIÁRIO DE MARIA, na véspera de comprar sua passagem de avião para o Brasil:

Era uma vez um pássaro. Adornado com um par de asas perfeitas e plumas reluzentes, coloridas e maravilhosas. Enfim, um animal feito para voar livre e solto no céu, alegrar quem o observasse.

Um dia, uma mulher viu este pássaro e se apaixonou por ele. Ficou contemplando o seu voo com a boca aberta de espanto, o coração acelerado, os olhos brilhantes de emoção. Convidou-o para voar com ela, e os dois viajaram pelo céu em completa harmonia. Ela admirava, venerava, celebrava o pássaro.

Mas então pensou: talvez ele queira conhecer algumas montanhas distantes! E a mulher sentiu medo. Medo de nunca mais sentir aquilo com outro pássaro. E sentiu inveja, inveja da capacidade de voar do pássaro.

E sentiu-se sozinha.

E pensou: "Vou montar uma armadilha. A próxima vez que o pássaro surgir, ele não mais partirá".

O pássaro, que também estava apaixonado, voltou no dia seguinte, caiu na armadilha e foi preso na gaiola.

Todos os dias ela olhava o pássaro. Ali estava o objeto de sua paixão; e mostrava-o para suas amigas, que comentavam:

"Mas você é uma pessoa que tem tudo". Entretanto, uma estranha transformação começou a processar-se: como tinha o pássaro, e já não precisava conquistá-lo, foi perdendo o interesse. O pássaro, sem poder voar e exprimir o sentido de sua vida, foi definhando, perdendo o brilho, ficou feio — e a mulher já não prestava mais atenção nele, apenas na maneira como o alimentava e como cuidava de sua gaiola.

Um belo dia, o pássaro morreu. Ela ficou profundamente triste, e vivia pensando nele. Mas não se lembrava da gaiola, recordava apenas o dia em que o vira pela primeira vez, voando contente entre as nuvens.

Se ela observasse a si mesma, descobriria que aquilo que a emocionava tanto no pássaro era a sua liberdade, a energia das asas em movimento, não o seu corpo físico.

Sem o pássaro, sua vida também perdeu o sentido, e a morte veio bater em sua porta. "Por que você veio?", perguntou à morte.

"Para que você possa voar de novo com ele nos céus", a morte respondeu. "Se o tivesse deixado partir e voltar sempre, você o amaria e o admiraria ainda mais; entretanto, agora você precisa de mim para poder encontrá-lo de novo."

Começou o dia fazendo algo que ensaiara durante todos aqueles meses: entrar em uma agência de viagens, comprar uma passagem para o Brasil, na data que marcara em seu calendário.

Agora faltavam apenas mais duas semanas na Europa. A partir daquele momento, Genève seria o rosto de um homem que amou, e por quem fora amada. A Rue de Berne seria um nome, homenagem à capital da Suíça. Lembraria do seu quarto, do lago, da língua francesa, das loucuras que uma menina de vinte e três anos (seu aniversário fora na véspera) é capaz de fazer — até entender que há um limite.

Não iria prender o pássaro, ou pedir que a acompanhasse ao Brasil; ele era a única coisa verdadeiramente pura que lhe havia acontecido. Um pássaro como esse tem de voar livre, alimentar-se da saudade de um tempo em que voou junto com alguém. E ela também era um pássaro; ter Ralf Hart ao seu lado seria lembrar para sempre dos dias no Copacabana. E isso era seu passado, não o seu futuro.

Decidiu que ia dizer "adeus" apenas uma vez, quando chegasse o momento da partida; não ficaria sofrendo cada vez que lembrasse "em breve já não estarei mais aqui". Portanto, enganou seu coração e caminhou por Genève aquela manhã como se tivesse sempre passeado por aquelas ruas, a colina, o Caminho de Santiago, a ponte de Montblanc, os bares que costumava frequentar. Acompanhou o voo das gaivotas no rio, os comerciantes recolhendo as barracas, as pessoas saindo dos seus escritórios para almoçar, a cor e o gosto da maçã que estava comendo, os aviões pousando a distância, o arco-íris na coluna de água que subia do meio do lago, a alegria tímida e escondida de todos os que passavam por ela, os olhares de desejo, os olhares sem expressão, os olhares. Vivera quase um ano em uma cidade pequena, como tantas outras cidades pequenas no mundo, e, se não fosse pela arquitetura peculiar e pelo excesso de letreiros de bancos, ela podia estar localizada no interior do Brasil. Havia feira. Havia mercado. Havia donas de casa discutindo o preço. Havia estudantes que tinham deixado a aula antes da hora, talvez com alguma desculpa sobre pai e mãe doentes, e agora passeavam e se beijavam nas margens do rio. Havia gente que se sentia em casa e gente que se sentia estrangeira. Havia jornais que falavam de escândalos, e respeitáveis revistas para homens de negócios que, por sinal, só eram vistos lendo jornais sobre escândalos.

Foi até a biblioteca devolver o manual sobre administração de fazendas. Não tinha entendido nada, mas o livro lhe recordara, nos momentos em que pensava ter perdido o controle de si mesma e de seu destino, qual era o objetivo de sua vida. Tinha sido um companheiro silencioso, com sua capa amarela sem desenhos e uma série de gráficos, mas, sobretudo, tinha sido um farol nas noites escuras das semanas mais recentes.

Sempre fazendo planos para o futuro. E sempre sendo surpreendida pelo presente, dizia para si mesma. Pensava em como havia descoberto a si mesma através da independência, do desespero, do amor, da dor, para logo se encontrar de novo com o amor — e gostaria que as coisas terminassem por ali.

O mais curioso disso tudo é que, enquanto algumas de suas companheiras de trabalho falavam das virtudes e do êxtase de estar com certos homens na cama, ela jamais tinha se descoberto melhor ou pior através do sexo. Não resolvera seu problema, era incapaz de ter um orgasmo com a penetração, e vulgarizara tanto o ato sexual que talvez não conseguisse nunca mais encontrar no tal "abraço do reencontro" — como Ralf Hart o chamava — o fogo e a alegria que buscava.

Ou talvez (como costumava pensar de vez em quando) sem amor era impossível ter qualquer prazer na cama, como diziam as mães, os pais, os livros românticos.

A bibliotecária, normalmente séria (e sua única amiga, embora jamais lhe tivesse dito isso), estava de bom humor. Atendeu-a na hora do almoço e convidou-a para compartilhar um sanduíche. Maria agradeceu e disse que tinha acabado de almoçar.

— Você demorou muito para ler.

— Não entendi nada.

— Você se lembra do que me pediu uma vez?

Não, não lembrava, mas, depois que viu o sorriso malicioso no ar da mulher à sua frente, imaginou o que teria sido. Sexo.

— Sabe, desde que você veio aqui procurando por este tipo de assunto, eu resolvi fazer um levantamento do que tínhamos. Não era muito, e, como precisamos educar nossa juventude, encomendei alguns. Assim, não precisam aprender da pior maneira possível — com prostitutas, por exemplo.

A bibliotecária apontou para uma pilha de livros em um canto, todos cuidadosamente encapados com papel pardo.

— Ainda não tive tempo de classificá-los, mas andei dando uma olhada e fiquei horrorizada com o que descobri.

Bem, já podia adivinhar o que a mulher diria: posições constrangedoras, sadomasoquismo e coisas desse tipo. Melhor dizer que tinha de voltar a trabalhar (não sabia onde tinha dito que trabalhava, se em um banco ou em uma loja — mentir dava muito trabalho, ela se esquecia sempre).

Agradeceu, fez sinal de que ia sair, mas a outra comentou:

— Você também iria ficar horrorizada. Por exemplo: sabia que o clitóris é uma invenção recente?

Invenção? Recente? Ainda esta semana alguém tinha tocado no seu, como se sempre estivesse ali, e como se aquelas mãos conhecessem bem o terreno que estava sendo explorado — apesar da escuridão completa.

— Foi oficialmente aceito em 1559, depois que um médico, Realdo Columbo, publicou um livro chamado *De re anatomica*. Durante mil e quinhentos anos da era cristã, ele foi oficialmente ignorado. Columbo o descreve, em seu livro, como "uma coisa bonita e útil" — você acredita?

As duas riram.

— Dois anos depois, em 1561, outro médico, Gabrielle Fallopio, disse que a "descoberta" tinha sido dele. Veja só! Dois homens — italianos, claro, que entendem do assunto discutindo quem havia oficialmente colocado o clitóris na história do mundo!

Aquela conversa era interessante, mas Maria não queria pensar no assunto, principalmente porque sentia de novo o líquido escorrendo e o sexo ficando molhado — só de lembrar do toque, das vendas, das mãos que passeavam no seu corpo. Não, não estava morta para o sexo; aquele homem a havia resgatado de alguma maneira. Que bom continuar viva.

A bibliotecária, porém, estava entusiasmada:

— Mesmo depois de "descoberto", continuou a ser desrespeitado — ela disse, parecendo que havia se tornado uma perita em clitoriologia, ou seja lá qual fosse o nome desta ciência. — As mutilações sobre as quais lemos hoje nos jornais, praticadas por certas tribos da África que ainda tiram da mulher o direito do prazer, não são nenhuma novidade. Aqui mesmo na Europa, no século xix, ainda se faziam operações para extirpá-lo, acreditando que naquela pequena e insignificante parte da anatomia feminina estava toda a fonte de histeria, epilepsia, tendência ao adultério e incapacidade de ter filhos.

Maria estendeu a mão para despedir-se, mas a bibliotecária não dava sinais de cansaço.

— Pior ainda, nosso querido Freud, o descobridor da psicanálise, dizia que o orgasmo feminino, em uma mulher normal, deve mover-se do clitóris para a vagina. Seus mais fiéis seguidores, desenvolvendo esta tese, passaram a afirmar que o fato de manter o prazer sexual concentrado no clitóris era um sinal de infantilidade ou, o que é pior, de bissexualidade.

"E, no entanto, como todas nós sabemos, é muito difícil ter um orgasmo apenas com a penetração. É bom ser possuída por um homem, mas o prazer está naquele grãozinho ali, descoberto por um italiano!"

Distraída, Maria reconheceu que tinha o problema diagnosticado por Freud: ainda era infantil, seu orgasmo não tinha se deslocado para a vagina. Ou será que Freud estava errado?

— E o ponto G, o que você acha?

— A senhora sabe onde fica?

A mulher ficou corada, tossiu, mas teve coragem de responder:

— Logo que você entra, no primeiro andar, janela dos fundos.

Genial! Descrevera a vagina como um edifício! Talvez tivesse lido aquela explicação em um livro para meninas: depois que alguém bater à porta e entrar, vai descobrir todo um universo dentro do próprio corpo. Sempre que se masturbava, preferia mais o tal ponto G ao clitóris, já que este lhe dava uma certa aflição, um prazer misturado com agonia, algo angustiante.

Ia sempre para o primeiro andar, janela dos fundos!

Vendo que a mulher não ia parar de falar — talvez tivesse acabado de descobrir nela uma cúmplice de sua própria sexualidade perdida —, acenou com a mão, saiu e procurou continuar se concentrando em qualquer bobagem, porque não era dia de pensar em despedidas, clitóris, virgindade refeita ou ponto G. Prestou atenção nos ruídos — sinos que tocavam, cachorros latindo, o *tram* (que é como eles chamam os bondes locais) rangendo nos trilhos, os passos, a respiração, os letreiros que ofereciam tudo.

Já não tinha mais vontade de voltar ao Copacabana. Mesmo assim sentia-se na obrigação de levar seu trabalho até o final, embora desconhecesse a verdadeira razão — afinal de contas, já tinha conseguido economizar o suficiente. Durante aquela tarde, podia fazer algumas compras, conversar com um gerente de banco — que era seu cliente e que havia prometido ajudá-la com suas economias —, tomar um café, mandar pelo correio algumas roupas que não caberiam na sua bagagem. Estranho, estava um pouco triste, não conseguia entender; talvez porque ainda faltassem duas semanas, precisava passar o tempo, olhar a cidade com outros olhos, alegrar-se por ter vivido tudo aquilo.

Chegou a um cruzamento que já atravessara centenas de vezes, dali podia ver o lago, a coluna de água e — no meio do jardim que se estendia do outro lado da calçada — o belo relógio de flores, um dos símbolos da cidade, e ele não a deixava mentir, porque...

De repente, o tempo, o mundo ficou imóvel.

Que história era aquela de virgindade recém-recuperada, que pensava desde que acordara?

O mundo parecia congelado, aquele segundo não passava nunca, ela estava diante de algo muito sério e muito importante em sua vida, não podia esquecer, não podia fazer como com os seus sonhos noturnos, sempre prometia anotar e nunca se lembrava...

"Não pense em nada. O mundo parou. O que está acontecendo?"

CHEGA!

O pássaro, a linda história sobre o pássaro que acabara de escrever era sobre Ralf Hart?

Não, era sobre ela mesma!

PONTO FINAL!

Eram 11h11 da manhã, e ela estava parando naquele momento. Era uma estrangeira em seu próprio corpo, estava redescobrindo a virgindade recém-recuperada, mas seu renascer era tão frágil que se continuasse ali estaria perdida para sempre. Experimentara o céu talvez, o inferno com certeza, mas a aventura chegava ao fim. Não podia esperar duas semanas, dez dias, uma semana — precisava ir embora correndo —, porque, ao olhar aquele relógio cheio de flores, com turistas tirando fotografias e crianças brincando ao redor, acabara de descobrir o motivo de sua tristeza.

E o motivo era o seguinte: não queria voltar.

E a razão não era Ralf Hart, a Suíça, a aventura. A verdadeira razão era simples demais: dinheiro.

Dinheiro! Um pedaço de papel especial, pintado com cores sóbrias, que todo mundo dizia valer alguma coisa — e ela acreditava, todos acreditavam nisso — até o momento em que fosse com uma montanha daquele papel a um banco, um respeitável, tradicional, secretíssimo banco suíço, e pedisse: "Posso adquirir um pouco de horas para minha vida?". "Não, senhora, não vendemos isso; só compramos."

Maria foi despertada de seu delírio pela freada de um carro, a reclamação de um motorista, e por um velhinho sorridente, falando inglês, e pedindo que recuasse — o sinal estava fechado para pedestres.

"Bem, acho que descobri algo que todo mundo deve saber."

Mas não sabiam: olhou à sua volta, pessoas andando de cabeça baixa, correndo para ir ao trabalho, à escola, a uma agência de empregos, à Rue de Berne, sempre dizendo: "Posso esperar um pouco mais. Tenho um sonho, mas ele não precisa ser vivido hoje, porque preciso ganhar dinheiro". Claro, seu emprego era amaldiçoado — mas no fundo tratava-se apenas de vender seu tempo, como todo mundo. Fazer coisas de que não gostava, como todo mundo. Aturar gente insuportável, como todo mundo. Entregar seu precioso corpo e sua preciosa alma em nome de um futuro que nunca chegava, como todo mundo. Dizer que ainda não tinha o bastante, como todo mundo. Aguardar só mais um pouquinho, como todo mundo. Esperar mais um pouco, ganhar algo mais, deixar para realizar seus desejos depois, no momento estava muito ocupada, tinha uma oportunidade diante dela, clientes que a esperavam, que eram fiéis, que podiam pagar desde trezentos e cinquenta até mil francos por noite.

E pela primeira vez na vida, apesar de todas as coisas boas que podia comprar com o dinheiro que ganhasse — quem sabe, apenas mais um ano? —, ela resolveu, consciente, lúcida e propositadamente, deixar passar uma oportunidade.

Maria esperou que o sinal abrisse, atravessou a rua, parou diante do relógio de flores, pensou em Ralf, sentiu de novo o seu olhar de desejo na noite em que abaixara parte de seu vestido, sentiu suas mãos lhe tocando os seios, o sexo, o rosto, ficou molhada, olhou para a imensa coluna de água a distância e — sem precisar tocar uma só parte de seu corpo — teve um orgasmo ali, na frente de todo mundo.

Ninguém notou; todos estavam muito, muito ocupados.

Nyah, a única de suas colegas com quem tinha uma relação próxima daquilo que se poderia denominar amizade, chamou-a assim que entrou. Estava sentada com um oriental, e os dois riam.

— Veja isso — disse para Maria. — Veja o que quer que eu faça com ele!

O oriental, fazendo um olhar cúmplice e mantendo o sorriso nos lábios, abriu a tampa de uma espécie de caixa de charutos. De longe, Milan espichou o olho para ver se não se tratava de seringas ou drogas. Não, era apenas aquela coisa que nem ele entendia direito como funcionava, mas não era nada de especial.

— Parece coisa do século passado! — disse Maria.

— É coisa do século passado — concordou o oriental, indignado com a ignorância do comentário. — Este aí tem mais de cem anos, e custou uma fortuna.

O que Maria via era uma série de válvulas, uma manivela, circuitos elétricos, pequenos contatos de metal, pilhas. Parecia o interior de um antigo aparelho de rádio, com dois fios saindo, em cujas extremidades estavam pequenos bastões de vidro, do tamanho de um dedo. Nada que pudesse custar uma fortuna.

— Como funciona?

Nyah não gostou da pergunta de Maria. Embora confiasse na brasileira, as pessoas mudam de uma hora para outra, e ela podia estar de olho no seu cliente.

— Ele já me explicou. É o Bastão Violeta.

E, virando-se para o oriental, sugeriu que saíssem, porque decidira aceitar o convite. Mas o homem parecia entusiasmado com o interesse que seu brinquedo despertava.

— Por volta de 1900, quando as primeiras pilhas começaram a circular no mercado, a medicina tradicional iniciou as experiências com eletricidade, para ver se curava doenças mentais ou histeria. Também foi usada para combater espinhas e estimular a vitalidade da pele. Está vendo estas duas extremidades? Elas eram colocadas aqui — apontou para suas têmporas — e a bateria provocava a mesma descarga estática que sofremos quando o ar está muito seco.

Aquilo era uma coisa que jamais acontecia no Brasil, mas na Suíça era muito comum; Maria descobrira isso quando, certo dia, ao abrir a porta de um táxi escutara um estalido e levara um choque. Achou que tinha sido um problema do carro, reclamou, disse que não ia pagar a corrida, e o chofer quase a agrediu, chamando-a de ignorante. Ele tinha razão; não era o carro, era o ar muito seco. Depois de vários choques, passou a ter medo de tocar em qualquer coisa de metal, até que descobriu em um supermercado uma pulseira que descarregava a eletricidade acumulada no corpo.

Virou-se para o oriental:

— Mas é extremamente desagradável!

Nyah estava cada vez mais impaciente com os comentários de Maria. Para evitar futuros conflitos com sua única possível amiga, mantinha o braço em torno do ombro do homem, de modo a não deixar nenhuma dúvida a respeito de a quem ele pertencia.

— Depende de onde você colocar — o oriental riu alto.

Em seguida, girou a pequena manivela, e os dois bastões pareceram ficar da cor violeta. Em um movimento rápido, ele encostou-os nas duas mulheres; houve o estalido, mas o choque parecia mais uma espécie de coceira do que dor.

Milan aproximou-se.

— Por favor, não use isso aqui.

O homem tornou a colocar os bastões na caixa. A filipina aproveitou a oportunidade e sugeriu que fossem logo para o hotel. O oriental pareceu um pouco decepcionado, a recém-chegada estava muito mais interessada no Bastão Violeta do que a mulher que agora o convidava para sair. Vestiu seu casaco, guardou a caixa dentro de uma pasta de couro, comentando:

— Hoje em dia estão fabricando de novo, virou uma espécie de moda entre pessoas que procuram prazeres especiais. Mas este que você viu aí só pode ser encontrado em raras coleções médicas, museus ou antiquários.

Milan e Maria ficaram parados, sem saber o que dizer.

— Você já tinha visto isso?

— Desse tipo, não. Deve realmente custar uma pequena fortuna, mas esse homem é um alto executivo de uma companhia petrolífera. Já vi outros, modernos.

— E o que fazem?

— Enfiam no corpo... e pedem que a mulher gire a manivela. Levam o choque lá dentro.

— Não podiam fazer isso sozinhos?

— Qualquer coisa em sexo você pode fazer sozinho. Mas é melhor que continuem achando que tem mais graça quando estão com outra pessoa, ou meu bar iria à falência e você teria de trabalhar em uma loja de verduras. Por falar nisso, o seu cliente especial disse que virá hoje à noite. Por favor, recuse qualquer convite.

— Recusarei. Inclusive o dele. Porque vim apenas despedir-me, estou indo embora.

Milan pareceu não acusar o golpe.

— O pintor?

— Não. O Copacabana. Existe um limite — e cheguei a ele esta manhã, enquanto olhava aquele relógio de flores perto do lago.

— Qual é o limite?

— O preço de uma fazenda no interior do Brasil. Sei que posso ganhar mais, trabalhar mais um ano, que diferença faria, não é verdade?

"Pois eu sei a diferença: estaria para sempre nesta armadilha, como você está, e estão os clientes, os executivos, os comissários de bordo, os caçadores de talentos, os executivos de companhias de discos, os muitos homens que conheci, a quem vendi meu tempo, que não podem me vendê-lo de volta. Se eu ficar mais um dia, fico mais um ano, e, se ficar mais um ano, não sairei nunca."

Milan fez um discreto sinal afirmativo, como se entendesse e concordasse com tudo, embora não pudesse dizer nada — porque podia contagiar todas as meninas que trabalhavam para ele. Mas era um homem bom e, embora não tivesse dado sua bênção, tampouco fez menção de tentar convencer a brasileira de que ela estava agindo errado.

Agradeceu, pediu um drinque — um copo de champanhe, não aguentava mais o coquetel de frutas. Agora podia beber, não estava em serviço. Milan disse que lhe telefonasse se precisasse de algo; ela sempre seria bem-vinda.

Fez menção de pagar a bebida, ele disse que era por conta da casa. Ela aceitou: tinha dado àquela casa muito mais do que um drinque.

* * *

DO DIÁRIO DE MARIA, ao voltar para casa:

Não me lembro mais quando foi, mas em um domingo desses resolvi entrar numa igreja para assistir à missa. Depois de muito tempo esperando, foi que me dei conta de que estava no lugar errado — era um templo protestante.

Ia sair, mas o pastor começou o sermão, achei que seria indelicado levantar-me — e isso foi uma bênção, porque naquele dia escutei coisas que precisava muito ouvir.

O pastor disse algo como:

"Em todas as línguas do mundo existe um mesmo ditado: o que os olhos não veem, o coração não sente. Pois eu afirmo que não há nada mais falso do que isso; quanto mais longe, mais perto do coração estão os sentimentos que procuramos sufocar e esquecer. Se estamos no exílio, queremos guardar cada peque-

na lembrança de nossas raízes; se estamos distantes da pessoa amada, cada pessoa que passa pela rua nos faz lembrar dela.

Os evangelhos, e todos os textos sagrados de todas as religiões, foram escritos no exílio, em busca da compreensão de Deus, da fé que movia os povos adiante, da peregrinação das almas errantes pela face da Terra. Não sabiam os nossos antepassados, e tampouco nós sabemos, o que a Divindade espera de nossas vidas — é nesse momento que os livros são escritos, os quadros pintados, porque não queremos e não podemos esquecer quem somos."

No final do culto, eu fui até ele e agradeci: disse que era uma estrangeira em uma terra estrangeira, e agradeci por ter me lembrado de que o que os olhos não veem, o coração sente. E, por ter sentido tanto, hoje vou embora.

Pegou as duas malas e colocou-as em cima da cama; sempre estiveram ali, esperando o dia em que tudo chegaria ao final. Imaginava que iria enchê-las com muitos presentes, vestidos novos, fotos na neve e nas grandes capitais europeias, lembranças de um tempo feliz quando havia conhecido o país mais seguro e mais generoso do mundo. Tinha alguns vestidos novos, era verdade, e algumas fotos na neve que um dia caíra em Genève, mas, afora isso, nada mais seria como havia imaginado.

Chegara com o sonho de ganhar muito dinheiro, aprender sobre a vida e sobre quem era, comprar uma fazenda para os seus pais, encontrar um marido e trazer a família para conhecer o lugar onde morava. Voltava com o dinheiro exato para realizar um sonho, sem ter visitado as montanhas, e — o que era pior — uma estranha para si mesma. Mas estava contente, sabia que era chegado o momento de parar.

Pouca gente no mundo reconhece esse momento.

Vivera apenas quatro aventuras — ser dançarina em um cabaré, aprender francês, trabalhar como prostituta e amar perdidamente um homem. Quantas pessoas podem vangloriar-se de tanta emoção em um ano? Estava feliz, apesar da tristeza — e esta tristeza tinha um nome, não se chamava prostituição, nem Suíça, nem dinheiro, mas Ralf Hart. Embora jamais tenha reconhecido, no fundo do seu coração gostaria de ter se casado com ele, o homem que agora a esperava em uma igreja, pronto para levá-la a conhecer seus amigos, sua pintura, seu mundo.

Pensou em faltar ao encontro, hospedar-se em um hotel perto do aeroporto, já que o voo saía na manhã seguinte. A partir de agora, cada minuto passado ao seu lado seria um ano de sofrimento no futuro, por tudo aquilo que ela poderia ter dito e não diria, pela lembrança de sua mão, de sua voz, de seu apoio, de suas histórias.

Abriu de novo a mala, retirou o pequeno vagão do trem elétrico que ele lhe dera na primeira noite em seu apartamento. Contemplou-o por alguns minutos e jogou-o no lixo; aquele trem não merecia conhecer o Brasil, tinha sido inútil e injusto para com a criança que sempre o desejara.

Não, não iria à igreja; talvez ele lhe perguntasse algo, e, se respondesse a verdade — "estou indo embora" —, ele iria pedir que ficasse, prometeria tudo para não perdê-la naquele momento, declararia seu amor já demonstrado em todo o tempo que passaram juntos. Mas tinham aprendido a conviver em liberdade, e nenhuma outra relação iria dar certo — talvez esta fosse a única razão pela qual ambos se amavam, porque sabiam que um não precisava do outro. Os homens sempre se assustam quando uma mulher diz "Eu quero depender de você", e Maria gostaria de levar consigo a imagem de um Ralf Hart apaixonado, entregue, pronto a qualquer coisa por ela.

Ainda tinha tempo de decidir se ia ou não ao encontro; no momento precisava concentrar-se em algo mais prático. Viu quantas coisas tinha deixado fora das malas, sem saber onde colocá-las. Resolveu que o dono do imóvel tomaria a decisão, quando entrasse no apartamento e encontrasse os eletrodomésticos na cozinha, os quadros de segunda mão comprados em um mercado, as toalhas e as roupas de cama. Não poderia levar nada disso para o Brasil, mesmo que seus pais necessitassem mais do que qualquer mendigo suíço; elas sempre iriam lembrá-la de tudo a que se aventurou.

Saiu, foi até o banco e pediu para retirar todo o dinheiro que tinha ali depositado. O gerente — que já frequentara sua cama — disse que era uma má ideia, aqueles francos poderiam continuar rendendo, e ela receberia os juros no Brasil. Além do mais, caso fosse roubada, seriam muitos meses de trabalho perdido. Maria hesitou por um momento, achando — como sempre achava — que estavam querendo ajudá-la de verdade. Mas, depois de refletir um pouco, concluiu que o objetivo daquele dinheiro não era transformar-se em mais papel, mas em uma fazenda, uma casa para seus pais, algumas cabeças de gado e muito mais trabalho.

Retirou cada centavo, colocou em uma pequena bolsa que comprara especialmente para a ocasião e amarrou-a na cintura, por baixo da roupa.

Foi até a agência de viagens, rezando para que tivesse coragem de ir adiante; quando quis mudar a passagem, lhe disseram que o voo do dia seguinte tinha uma escala em Paris, para troca de avião. Não tinha importância — o que precisava era estar longe dali antes que pudesse pensar duas vezes.

Caminhou até uma das pontes, comprou um sorvete — embora já começasse a esfriar de novo — e olhou Genève. Então tudo lhe pareceu diferente, como se tivesse acabado de chegar e precisasse ir aos museus, aos monumentos históricos, aos bares e restaurantes da moda. Engraçado que, quando se mora em uma cidade, sempre se deixa para conhecê-la depois — e geralmente acabamos não a conhecendo nunca.

Pensou em ficar contente porque estava voltando à sua terra, mas não conseguiu. Pensou em ficar triste por estar deixando uma cidade que a tratara tão bem, e tampouco conseguiu. A única coisa que pôde fazer foi derramar algumas lágrimas, com medo de si mesma, uma moça inteligente, que tinha tudo para ser bem-sucedida, mas que geralmente tomava decisões erradas.

Torceu para que desta vez estivesse certa.

A igreja estava completamente vazia quando entrou, e ela pôde contemplar em silêncio os lindos vitrais, iluminados pela luz lá de fora, a luz de um dia lavado pela tempestade da noite anterior. Diante dela, um altar com uma cruz vazia; não estava diante de um instrumento de tortura, com um homem ensanguentado à beira da morte — mas de um símbolo de ressurreição, em que o instrumento de suplício perdia todo o seu significado, seu terror, sua importância. Lembrou-se do chicote na noite com trovoadas, era a mesma coisa. "Meu Deus, que estou pensando?"

Ficou também contente porque não viu imagens de santos sofrendo, com marcas de sangue e feridas abertas — ali era apenas um lugar onde os homens se reuniam para adorarem algo que não podiam compreender.

Parou diante do sacrário, onde estava guardado o corpo de um Jesus em que ela ainda acreditava, embora há muito tempo não pensasse nele. Ajoelhou-se e prometeu a Deus, à Virgem, a Jesus e a todos os santos que, acontecesse o que acontecesse durante aquele dia, ela jamais mudaria de ideia, e iria embora de qualquer maneira. Fez esta promessa porque conhecia bem as armadilhas do amor, e de como são capazes de transformar a vontade de uma mulher.

Pouco depois ela sentiu a mão que a tocava no ombro, e inclinou seu rosto para que tocasse a mão.

— Como você está?

— Bem — disse, a voz sem qualquer angústia. — Muito bem. Vamos tomar o nosso café.

Saíram de mãos dadas, como se fossem dois namorados que haviam se encontrado depois de muito tempo. Beijaram-se em público, algumas pessoas olharam escandalizadas, ambos sorriram pelo mal-estar que estavam causando e pelos desejos que despertavam com o escândalo — porque sabiam que, na verdade, eles queriam estar fazendo a mesma coisa. O escândalo era só isso.

Entraram em um café igual a todos os outros, mas que naquela tarde era diferente, porque os dois estavam ali, e se amavam. Conversaram sobre Genève, as dificuldades da língua francesa, os vitrais da igreja, os males do cigarro, já que ambos fumavam e não tinham a menor intenção de abandonar o vício.

Ela fez questão de pagar o café, e ele aceitou. Foram à exposição, ela conheceu seu mundo, os artistas, os ricos que pareciam mais ricos ainda, os milionários que pareciam pobres, as pessoas que perguntavam coisas sobre as quais jamais tinha ouvido falar. Todos gostaram dela, elogiaram sua maneira de falar francês, perguntaram sobre o carnaval, o futebol, a música de seu país. Educados, gentis, simpáticos, envolventes.

Quando saíram, ele disse que iria à boate aquela noite, encontrá-la. Ela pediu que não fizesse isso, tinha a noite livre, gostaria de convidá-lo para jantar.

Ele aceitou, despediram-se, combinaram encontrar-se na casa dele para jantar em um restaurante simpático na pequena praça de Cologny, por onde sempre passavam de táxi, sem que ela jamais pedisse que parassem para conhecer o lugar.

Então Maria lembrou-se da única amiga, e resolveu ir até a biblioteca para dizer que não voltaria mais.

Ficou presa no trânsito por um tempo que parecia uma eternidade, até que os curdos terminassem de se manifestar (de novo!) e os carros pudessem voltar a circular normalmente. Mas agora era de novo dona do seu tempo, isso não tinha importância.

Chegou quando a biblioteca estava quase fechando.

— Pode ser que eu esteja querendo ser íntima demais, mas não tenho nenhuma amiga a quem confiar certas coisas — disse a bibliotecária assim que Maria entrou.

Aquela mulher não tinha amiga? Depois de viver sua vida inteira no mesmo lugar, encontrar várias pessoas durante o dia, será que não tinha ninguém com quem conversar? Enfim, descobria alguém como ela — ou, melhor dizendo, alguém como todo mundo.

— Estive pensando no que li sobre o clitóris...

"Não! Será que não dá para ser outra coisa?"

— E vi que, embora tivesse sempre muito prazer em todas as relações com o meu marido, custei muito até ter um orgasmo durante a relação. Você acha isso normal?

— A senhora acha normal os curdos estarem se manifestando todos os dias? As mulheres apaixonadas fugirem do seu príncipe encantado? As pessoas sonharem com fazendas em vez de pensarem em amor? Homens e mulheres vendendo seu tempo, sem poder comprá-lo de volta? E, no entanto, tudo isso acontece; de modo que, não importa o que eu ache ou deixe de achar, é sempre normal. Tudo aquilo que for contra a natureza, contra os nossos desejos mais íntimos, tudo isso é normal aos nossos olhos, embora pareça uma aberração aos olhos de Deus. Procuramos nosso inferno, levamos milênios para construí-lo e, depois de muito esforço, agora podemos viver da pior maneira possível.

Olhou a mulher à sua frente e, pela primeira vez em todo aquele tempo, perguntou seu primeiro nome (conhecia apenas seu nome de casada). Chamava-se Heidi, era casada há trinta anos, e jamais — jamais! — havia perguntado a si mesma se era normal não ter um orgasmo durante a relação sexual com o marido.

— Não sei se devia ter lido tudo isso! Talvez fosse melhor viver na ignorância, achando que um marido fiel, um apartamento com vista para o lago, três filhos e um emprego público era tudo que uma mulher podia sonhar. Agora, desde que você chegou aqui, e desde que li o primeiro livro, ando muito preocupada com aquilo em que transformei minha vida. Será que todo mundo é assim?

— Posso lhe garantir que é. — E Maria sentiu-se uma jovem sábia diante daquela mulher que lhe pedia conselhos.

— Gostaria que eu entrasse em detalhes?

Maria acenou positivamente com a cabeça.

— É claro que você ainda é muito jovem para compreender essas coisas, mas justamente por isso gostaria de compartilhar um pouco da minha vida, para que não cometa os mesmos erros que cometi.

"Mas o clitóris, por que será que meu marido nunca prestou atenção a isso? Achava que o orgasmo era na vagina, e me custava muito, mas muito mesmo, fingir algo que ele imaginava que eu deveria estar sentindo. Claro, eu tinha prazer, mas um prazer diferente. Apenas quando a fricção era na parte superior... você está entendendo?"

— Estou entendendo.

— E agora descobri por quê. Está ali — ela apontou para um livro na sua mesa, cujo título Maria não conseguia ver. — Existe um feixe de nervos que vai do clitóris ao ponto G, e que é predominante. Mas os homens pensam que não, que penetrar é tudo. Você sabe o que é o ponto G?

— Conversamos sobre isso outro dia — disse Maria, desta vez como a Menina Ingênua. — Logo depois de entrar, primeiro andar, janela dos fundos.

— Claro, claro! — Os olhos da bibliotecária se iluminaram. — Verifique por você mesma quantos de seus amigos já ouviram falar disso: nenhum ouviu! Que absurdo! Mas, assim como o clitóris foi uma invenção do tal italiano, o ponto G é uma conquista do nosso século! Em breve ocupará todas as manchetes, e ninguém mais poderá ignorá-lo! Pode imaginar que momento revolucionário estamos vivendo?

Maria olhou para o relógio, e Heidi se deu conta de que precisava falar rápido, ensinar àquela menina bonita à sua frente que as mulheres tinham todo o direito de serem felizes, realizadas, para que uma próxima geração pudesse se beneficiar de todas essas conquistas científicas extraordinárias.

— O dr. Freud não estava de acordo porque não era mulher, e, como tinha seu orgasmo no pênis, achava que éramos obrigadas a ter o prazer na vagina. Temos que voltar à origem, àquilo que sempre nos deu prazer: o clitóris e o ponto G! Muito poucas mulheres conseguem ter uma relação sexual satisfatória, de modo que, se você tiver dificuldades em conseguir a alegria que merece, vou lhe sugerir algo: inverta a posição. Deite o seu namorado e fique sempre por cima; o seu clitóris vai bater com mais força no corpo dele, e você — não ele — estará conseguindo o estímulo de que precisa. Melhor dizendo, o estímulo que merece!

Maria, no entanto, estava apenas fingindo que não prestava atenção na conversa. Então não era apenas ela! Não tinha nenhum problema sexual, era tudo uma questão de anatomia! Sentiu vontade de beijar a mulher à sua frente, enquanto um peso imenso, gigantesco, saía do seu coração. Que bom ter descoberto isso ainda jovem! Que dia magnífico estava vivendo!

Heidi deu um sorriso conspirador.

— Eles não sabem, mas a gente também tem uma ereção! O clitóris fica ereto!

"Eles" deviam ser os homens. Maria tomou coragem, já que a conversa estava tão íntima.

— Você já teve alguém fora do casamento?

A bibliotecária levou um choque. Os olhos emitiram uma espécie de fogo sagrado, a pele ficou vermelha, não podia dizer se de raiva ou de vergonha. Depois de algum tempo, porém, a luta entre contar ou fingir terminou. Bastava mudar de assunto.

— Voltemos à nossa ereção: o clitóris! Ele fica rígido, você sabia?

— Desde criança.

Heidi parecia desapontada. Talvez não tivesse prestado muita atenção naquilo. Mesmo assim, resolveu continuar:

— E parece que, se você circular o dedo em torno, sem mesmo tocar sua ponta, o prazer pode surgir de maneira mais intensa ainda. Aprenda isso! Os homens que respeitam o corpo de uma mulher vão logo tocando no topo do clitóris, sem saber que isso às vezes pode ser doloroso, você não concorda? Por isso, depois do primeiro ou segundo encontro, assuma logo o controle da situação: fique por cima, decida como e onde a pressão deve ser aplicada, aumente e diminua o ritmo a seu critério. Além disso, uma conversa franca é sempre necessária, segundo o livro que estou lendo.

— A senhora teve uma conversa franca com seu marido?

Mais uma vez Heidi fugiu da pergunta direta, dizendo que eram outros tempos. Agora estava mais interessada em compartilhar suas experiências intelectuais.

— Procure ver seu clitóris como um ponteiro de relógio, e peça ao seu companheiro para movê-lo entre onze e uma hora, está compreendendo?

Sim, sabia do que a mulher estava falando e não concordava muito, embora o livro tampouco estivesse longe da verdade total. Mas, assim que ela falou em relógio, Maria olhou o seu, disse que tinha vindo apenas se despedir, pois seu estágio havia terminado. A mulher pareceu não escutá-la.

— Não quer levar este livro sobre o clitóris?

— Não, obrigada. Tenho que pensar em outras coisas.

— E não vai levar nada novo?

— Não. Estou voltando para o meu país, mas queria agradecer por sempre ter me tratado com respeito e compreensão. Até qualquer dia.

Apertaram-se as mãos e trocaram votos de felicidade.

Heidi esperou que a moça saísse, antes de perder o controle e dar um soco na mesa. Por que não havia aproveitado o momento para dividir algo que, do jeito que as coisas iam, terminaria morrendo com ela? Já que a moça tivera coragem de perguntar se algum dia traíra seu marido, por que não responder, agora que estava descobrindo um mundo novo, onde finalmente as mulheres aceitavam que era muito difícil um orgasmo vaginal?

"Bem, isso não é importante. O mundo não é apenas sexo."

Não era a coisa mais importante do mundo, mas era importante, sim. Olhou à sua volta; grande parte daqueles milhares de livros que a cercavam contava uma história de amor. Sempre a mesma história — alguém que se apaixona, encontra, perde e volta a encontrar de novo. Almas que se comunicam, lugares distantes, aventura, sofrimento, preocupações, e raramente alguém dizendo: "Olhe, meu caro senhor, entenda melhor o corpo da mulher". Por que os livros não falavam abertamente disso?

Talvez ninguém estivesse realmente interessado. Porque, para o homem, a busca da novidade continuaria — ele ainda era o troglodita caçador, que seguia o instinto de reprodutor da raça humana. E para a mulher? Por sua experiência pessoal, a vontade de ter um bom orgasmo com seu companheiro durava apenas os primeiros anos; depois a frequência diminuía, e nenhuma mulher falava disso, porque achava que era apenas com ela. E mentiam, fingindo que não aguentavam mais o desejo do marido, que queria fazer amor todas as noites. E, ao mentir, deixavam todas as outras preocupadas.

Logo se dedicavam a pensar em algo diferente: filhos, cozinha, horários, manutenção da casa, contas a pagar, tolerância com as escapadas do marido, viagens nas férias durante as quais ficavam mais preocupadas com os filhos do que consigo mesmas, cumplicidade — ou até mesmo amor, mas nada de sexo.

Devia ter sido mais aberta com a jovem brasileira, que lhe parecia uma moça inocente, com idade para ser sua filha, e ainda incapaz de compreender o mundo direito. Uma imigrante, vivendo longe da sua terra, dando duro em um trabalho sem graça, esperando um homem com quem pudesse casar, fingir alguns orgasmos, encontrar a segurança, reproduzir esta misteriosa raça humana, e logo esquecer estas coisas chamadas orgasmo, clitóris, ponto G (descoberto apenas no século xx!!!). Ser uma boa esposa, uma boa mãe, cuidar para que nada faltasse em casa, masturbar-se escondida de vez em quando, pensando no homem que cruzara com ela na rua e a olhara com desejo. Manter as aparências — por que será que o mundo estava tão preocupado com as aparências?

Por isso não respondera à pergunta:

"Você já teve alguém fora do casamento?"

Essas coisas morrem com a gente, pensou. Seu marido sempre fora o homem de sua vida, embora o sexo fosse coisa do passado remoto. Era um excelente companheiro, honesto, generoso, bem-humorado, lutava para sustentar a família e procurava deixar felizes todos aqueles que estavam sob sua responsabilidade. O homem ideal, com quem toda mulher sonha, e justamente por isso sentia-se tão mal em pensar que um dia desejara — e estivera — com outro homem.

Lembrava-se de como o havia encontrado. Estava voltando da cidadezinha de Davos, nas montanhas, quando uma avalanche de neve interrompeu por algumas horas a circulação dos trens. Telefonou, para que ninguém ficasse preocupado; comprou algumas revistas e preparou-se para uma longa espera na estação.

Foi quando viu um homem ao seu lado, com uma mochila e um saco de dormir. Tinha os cabelos grisalhos, a pele queimada de sol, era o único que parecia não estar preocupado com a ausência do trem; muito pelo contrário, sorria e olhava em volta, procurando alguém para conversar. Heidi abriu uma das revistas, mas — ah, vida misteriosa! — seus olhos cruzaram rapidamente com os dele, e não conseguiu desviá-los rápido o bastante para evitar que o homem se aproximasse.

Antes que ela pudesse — educadamente — dizer que precisava terminar um artigo importante, ele começou a falar. Disse que era escritor, estava voltando de um encontro na cidade e que o atraso dos trens faria com que perdesse o voo de volta para o seu país. Quando chegassem a Genève, podia ajudá-lo a encontrar um hotel?

Heidi o olhava: como é que alguém podia estar tão bem-humorado depois de perder o voo e ter de ficar esperando numa desconfortável estação de trem até que as coisas se resolvessem?

Mas o homem começou a conversar como se fossem velhos amigos. Contou sobre suas viagens, sobre o mistério da criação literária e, para seu espanto e horror, sobre todas as mulheres que havia amado e encontrado ao longo de sua vida. Heidi apenas fazia que "sim" com a cabeça, e ele continuava. Vez por outra, desculpava-se por estar falando demais e lhe pedia que contasse um pouco de si mesma, mas tudo que ela tinha para dizer era: "Sou uma pessoa comum, sem nada de extraordinário".

De repente, ela viu-se torcendo para que o trem não chegasse nunca. Aquela conversa era muito envolvente; estava descobrindo coisas que só haviam entrado em seu mundo através dos romances de ficção. E, como jamais tornaria a vê-lo, tomou coragem (mais tarde não saberia explicar por quê) e começou a perguntar sobre temas que lhe interessavam. Vivia um momento difícil em seu casamento, o marido reclamava muito a sua presença, e Heidi quis saber o que podia fazer para deixá-lo feliz. O homem deu algumas explicações interessantes, contou uma história, mas não parecia muito contente em ter de falar do marido.

"Você é uma mulher muito interessante", disse, usando uma frase que fazia muitos anos ela não escutava.

Heidi não soube como reagir, ele percebeu seu embaraço e logo começou a falar sobre desertos, montanhas, cidades perdidas, mulheres cobertas com véu, ou de cintura desnuda, guerreiros, piratas e sábios.

O trem chegou. Sentaram-se lado a lado, e então ela já não era a mulher casada, com um chalé em frente ao lago e três filhos para criar, mas uma aventureira, que estava chegando a Genève pela primeira vez. Olhava as montanhas, o rio, e sentia-se contente de estar ao lado de um homem que a queria levar para a cama (porque os homens só pensam nisso), que estava fazendo o possível para impressioná-la. Pensou em quantos outros homens tinham sentido a mesma coisa, sem que jamais lhes desse qualquer oportunidade — mas aquela manhã o mundo havia mudado, era uma adolescente de trinta e oito anos, assistindo deslumbrada às tentativas de seduzi-la; era a melhor coisa do mundo.

No outono prematuro da sua vida, quando pensava que já tinha tudo que podia esperar, aparecia aquele homem na estação de trem e entrava sem pedir licença. Desembarcaram em Genève; ela indicou um hotel (modesto, ele insistira, porque devia partir naquela manhã, e não estava prevenido para um dia a mais na caríssima Suíça), ele pediu que fosse até o quarto com ele, para ver se estava tudo em ordem. Heidi sabia o que a aguardava, e mesmo assim aceitou a proposta. Fecharam a porta, beijaram-se com violência e desejo, ele arrancou suas roupas, e — meu Deus! — conhecia o corpo de uma mulher, porque conhecera o sofrimento ou a frustração de muitas.

Fizeram amor a tarde inteira, e só quando a noite começou a chegar foi que o encanto se dissipou, e ela falou a frase que jamais gostaria de ter pronunciado:

"Preciso voltar, meu marido está me esperando."

Ele acendeu um cigarro, ficaram em silêncio por alguns minutos e nenhum dos dois disse "adeus". Heidi levantou-se e saiu sem olhar para trás, sabendo que, não importa o que dissessem, nenhuma palavra ou frase teria sentido.

Nunca mais tornaria a vê-lo, mas, no outono de sua desesperança, por algumas horas, tinha deixado de ser esposa fiel, dona de casa, mãe amorosa, funcionária exemplar, amiga constante — e voltado a ser simplesmente mulher.

Durante alguns dias o marido comentara que ela tinha mudado, estava mais alegre ou mais triste — ele não sabia exatamente descrever. Uma semana depois, as coisas tinham voltado ao normal.

"Que pena que não contei isso para a menina", pensou. "De qualquer maneira, ela não entenderia nada, ainda vive num mundo onde as pessoas são fiéis e as juras de amor são eternas."

* * *

DO DIÁRIO DE MARIA:

Não sei o que ele deve ter pensado quando abriu a porta, naquela noite, e me viu com duas malas.

— Não se assuste — comentei logo. — Não estou me mudando para cá. Vamos jantar.

Ajudou-me, sem nenhum comentário, a colocar minha bagagem para dentro. Em seguida, antes de dizer "O que é isso" ou

"Que alegria você aparecer", simplesmente me agarrou e começou a beijar-me, tocar meu corpo, meus seios, meu sexo, como se tivesse esperado por tanto tempo e agora pressentisse que talvez o momento não chegasse nunca.

Tirou meu casaco, meu vestido, deixou-me nua, e foi ali no hall de entrada, sem qualquer ritual ou preparação, sem mesmo tempo para dizer o que seria bom ou ruim, com o vento frio entrando por debaixo da fresta da porta, que fizemos amor pela primeira vez. Eu pensei que talvez fosse melhor dizer que parasse, que procurássemos um lugar mais confortável, que tivéssemos tempo de explorar o imenso mundo de nossa sensualidade, mas ao mesmo tempo eu o queria dentro de mim, porque era o homem que eu nunca possuíra, e nunca mais iria possuir. Por isso eu podia amá-lo com toda a minha energia, ter pelo menos, por uma noite, aquilo que jamais tivera antes, e que possivelmente nunca teria depois.

Deitou-me no chão, entrou em mim antes que eu estivesse completamente molhada, mas a dor não me incomodou — ao contrário, eu gostei que fosse assim, porque devia entender que eu era sua, e não precisava pedir licença. Não estava ali para ensinar mais nada, ou para mostrar como minha sensibilidade era melhor ou mais intensa que a das outras mulheres, apenas para dizer-lhe que sim, que era bem-vindo, que eu também estava esperando por isso, que me alegrava muito seu total desrespeito às regras que havíamos criado entre nós, e agora exigia que apenas nossos instintos, macho e fêmea, nos guiassem. Estávamos na posição mais convencional possível — eu embaixo, de pernas abertas, e ele em cima, entrando e saindo, enquanto eu o olhava, sem vontade de fingir, de gemer, de nada — apenas querendo manter os olhos abertos para lembrar cada segundo, ver seu rosto se transformando, suas mãos que agarravam meus cabelos, sua boca que me mordia, me beijava; nada de preliminares, de carícias, de preparações, de sofisticações, apenas ele dentro de mim, e eu em sua alma.

Entrava e saía, aumentava e diminuía o ritmo, parava às vezes para me olhar também, mas não perguntava se eu estava gostando, porque sabia que esta era a única maneira de nossas almas se comunicarem naquele momento. O ritmo aumentou, e eu sabia que os onze minutos estavam chegando ao fim, queria que continuassem para sempre, porque era tão bom — ah, meu Deus como era bom — ser possuída e não possuir! Tudo de olhos bem abertos, e notei que, quando já não enxergávamos mais direito, parecíamos ir para uma dimensão onde eu era a grande mãe, o Universo, a mulher amada, a prostituta sagrada dos antigos rituais que ele havia me explicado com um copo de vinho e uma lareira acesa. Vi seu orgasmo chegando, e seus braços seguraram os meus com força, os movimentos aumentaram de intensidade, e foi então que ele gritou — não gemeu, não trincou os dentes, mas gritou! Berrou! Urrou como um animal! No fundo da minha cabeça passou rápido o pensamento de que a vizinhança talvez chamasse a polícia, mas isso não tinha importância, e eu senti um imenso prazer, porque era assim desde o início dos tempos, quando o primeiro homem encontrou a primeira mulher e fizeram amor pela primeira vez: eles gritaram.

Depois seu corpo desabou sobre mim, e não sei quanto tempo ficamos abraçados um ao outro; eu acariciei seus cabelos como só havia feito na noite em que nos trancamos no escuro do hotel, vi seu coração disparado ir aos poucos voltando ao normal, suas mãos começaram delicadamente a passear pelos meus braços, e aquilo fez com que todos os pelos de meu corpo ficassem arrepiados.

Deve ter pensado em algo prático — como o peso de seu corpo em cima do meu —, porque rolou para o lado, segurou minha mão, e ficamos os dois olhando o teto e o lustre de três lâmpadas acesas.

— Boa noite — eu lhe disse.

Ele me puxou, e fiz com que apoiasse a cabeça no seu peito. Ficou me acariciando por um longo tempo, antes de dizer "boa noite" também.

— A vizinhança deve ter escutado tudo — comentei, sem saber como íamos continuar, porque dizer "eu te amo" naquele momento não fazia muito sentido; ele já sabia, e eu também.

— Está entrando uma corrente de ar frio por baixo da porta — foi sua resposta, quando poderia ter dito "que maravilha!".

— Vamos para a cozinha.

Nos levantamos, e vi que ele nem sequer havia tirado a calça, estava vestido como quando o encontrei, apenas com o sexo do lado de fora. Coloquei meu casaco sobre o corpo nu. Fomos para a cozinha, ele preparou um café, fumou dois cigarros, eu fumei um. Sentados à mesa, ele dizia "obrigado" com os olhos, eu respondia "também quero agradecer", mas nossas bocas se mantinham fechadas.

Finalmente ele tomou coragem e perguntou sobre as malas.

— Estou voltando para o Brasil amanhã ao meio-dia.

Uma mulher entende quando um homem é importante para ela. Será que eles também são capazes deste tipo de compreensão? Ou eu teria que dizer "te amo", "gostaria de continuar aqui com você", "peça-me para ficar"?

— Não vá. — Sim, ele havia compreendido que podia me dizer isso.

— Vou. Fiz uma promessa.

Porque, se não tivesse feito, talvez acreditasse que aquilo tudo ali era para sempre. E não era, era parte de um sonho de uma moça do interior de um país distante que vai para a cidade grande (não tão grande assim, para falar a verdade), passa por mil dificuldades, mas encontra o homem que a ama. Então, este era o final feliz para todos os momentos difíceis que passei, e, sempre que eu me lembrasse de minha vida na Europa, terminaria com a história de um homem apaixonado por mim, que seria sempre meu, já que eu visitara sua alma.

Ah, Ralf, você não sabe o quanto te amo. Penso que talvez nos apaixonemos sempre no momento em que olhamos pela primeira vez o homem de nossos sonhos, embora a razão naquele momento diga que estamos errados e passemos a lutar — sem vontade de vencer — contra esse instinto. Até que chega o momento em que nos deixamos vencer pela emoção, e isso aconteceu naquela noite, quando caminhei descalça pelo parque, sofrendo dor e frio, mas entendendo quanto você me queria.

Sim, eu te amo muito, como nunca amei outro homem, e justamente por isso vou embora, porque, se ficasse, o sonho se transformaria em realidade, vontade de possuir, de desejar que sua vida fosse minha... enfim, de todas essas coisas que terminam transformando o amor em escravidão. Melhor assim: o sonho. Temos de ser cuidadosos com aquilo que levamos de um país — ou da vida.

— Você não teve um orgasmo — disse ele, tentando mudar de assunto, ser cuidadoso, não forçar uma situação. Estava com medo de me perder, e pensava que ainda tinha a noite inteira para me fazer mudar de opinião.

— Não tive orgasmo, mas tive um imenso prazer.

— Mas seria melhor se tivesse um orgasmo.

— Eu podia ter fingido, apenas para deixá-lo contente, mas você não merece. Você é um homem, Ralf Hart, em tudo o que esta palavra pode ter de belo e intenso. Soube me apoiar e me ajudar, aceitou que eu o apoiasse e o ajudasse, sem que isso significasse humilhação. Sim, eu gostaria de ter tido um orgasmo, mas não tive. Entretanto, adorei o chão frio, o seu corpo quente, a violência consentida com que entrou em mim.

"Hoje eu fui devolver os livros que ainda tinha comigo, e a bibliotecária perguntou se eu conversava com meu parceiro a respeito de sexo. Fiquei com vontade de dizer: qual parceiro? Qual tipo de sexo? Mas ela não merecia, foi sempre um anjo comigo.

"Na verdade, eu tive apenas dois parceiros desde que cheguei a Genève: um que despertou o pior de mim mesma, porque eu permiti — e até mesmo implorei. O outro, você, que me fez sentir de novo parte do mundo. Eu gostaria de poder ensinar a você onde tocar meu corpo, qual a intensidade, por quanto tempo, e sei que entenderia isso não como uma recriminação, mas como uma possibilidade de que nossas almas se comunicassem melhor. A arte do amor é como a sua pintura, requer técnica, paciência e, sobretudo, prática entre o casal. Requer ousadia; é preciso ir além daquilo que as pessoas convencionaram chamar de fazer amor."

Pronto. A professora tinha voltado, e eu não queria aquilo, mas Ralf soube contornar a situação. Em vez de aceitar o que eu dizia, acendeu seu terceiro cigarro em menos de meia hora:

— Em primeiro lugar, você hoje vai passar a noite aqui.

Não era um pedido, era uma ordem.

— Em segundo lugar, faremos amor de novo, com menos ansiedade, e mais desejo.

"Finalmente, eu gostaria que você também entendesse melhor os homens."

Entender melhor os homens? Eu passava todas as noites com eles, brancos, negros, asiáticos, judeus, muçulmanos, católicos, budistas. Ralf não sabia disso?

Senti-me mais leve; que bom que a conversa caminhava para uma discussão. Em determinado momento eu chegara a pensar em pedir perdão a Deus e romper com minha promessa. Mas ali estava a realidade de volta, para me dizer que não esquecesse de conservar meu sonho intacto e não me deixasse cair nas armadilhas do destino.

— Sim, entender melhor os homens — repetiu Ralf, ao ver o meu ar de ironia. — Você fala em expressar sua sexualidade feminina, em me ajudar a navegar por seu corpo, a ter paciência, tempo. Estou de acordo, mas já lhe ocorreu que nós somos diferentes, pelo menos em matéria de tempo? Por que você não reclama com Deus?

"Quando nos encontramos, pedi que me ensinasse sobre sexo, porque meu desejo havia desaparecido. Sabe por quê? Porque, depois de certos anos de vida, toda e qualquer relação sexual minha terminava em tédio ou frustração, já que eu entendera que era muito difícil dar às mulheres que amei o mesmo prazer que elas me davam."

Eu não gostei do "as mulheres que amei", mas fingi indiferença, acendendo um cigarro.

— Eu não tinha coragem de pedir: me ensine seu corpo. Mas, quando a encontrei, vi sua luz e a amei imediatamente; pensei que, a esta altura da vida, já não tivesse mais nada a perder se fosse honesto comigo — e com a mulher que queria ter ao meu lado.

Meu cigarro ficou delicioso, e eu gostaria muito que ele me oferecesse um pouco de vinho, mas não queria deixar o assunto morrer.

— Por que os homens, em vez de fazerem isso que você fez comigo — descobrir como me sinto —, só ficam pensando em sexo?

— Quem disse que só pensamos em sexo? Ao contrário: passamos anos de nossas vidas tentando nos fazer acreditar que o sexo é importante para nós. Aprendemos o amor com prostitutas ou com virgens, contamos nossos casos a todos que queiram escutar, desfilamos com amantes jovens quando já estamos mais velhos, tudo para mostrar aos outros que sim, somos aquilo que as mulheres esperam que sejamos.

"Mas quer saber de uma coisa? Não é nada disso. Não entendemos nada. Achamos que sexo e ejaculação são a mesma coisa, e, como você acabou de dizer, não são. Não aprendemos porque não temos coragem de dizer à mulher: ensine-me seu corpo. Não aprendemos porque a mulher tampouco tem coragem de dizer: aprenda como sou. Ficamos no primitivo instinto de sobrevivência da espécie, e isso é tudo. Por mais absurdo que pareça, sabe o que é mais importante do que o sexo para um homem?"

Pensei que talvez fosse dinheiro ou poder, mas não disse nada.

— Esporte. Porque um homem entende o corpo de outro homem. Ali, no esporte, a gente está vendo o diálogo de corpos que se entendem.

— Você está louco.

— Pode ser. Mas faz sentido. Você já parou para ver o que os homens com que esteve na cama sentiam?

— Sim, parei: todos estavam inseguros. Sentiam medo.

— Pior que medo. Eram vulneráveis. Não entendiam direito o que estavam fazendo, apenas sabiam que a sociedade, os amigos, as próprias mulheres diziam que era importante. "Sexo, sexo, sexo", esta é a base da vida, gritam a propaganda, as pessoas, os filmes, os livros. Ninguém sabe do que está falando. Sabem, já que o instinto é mais forte do que todos nós, que aquilo tem de ser feito. Pronto.

Chega. Eu tentara dar lições de sexo para me proteger, ele fazia o mesmo, e, por mais que nossas palavras fossem sábias — já que um sempre queria impressionar o outro —, isso era tão estúpido, tão indigno de nossa relação! Eu o puxei até mim porque — independentemente do que ele tinha para dizer, ou do que eu pensasse a respeito de mim mesma — a vida já me ensinara muita coisa. No início dos tempos, tudo era amor, era entrega. Mas logo em seguida a serpente aparece para Eva e diz: o que você entregou, você irá perder. Assim foi comigo — fui expulsa do paraíso ainda na escola, e desde então procurei uma maneira de dizer à serpente que ela estava errada, que viver era mais importante do que guardar para si. Mas a serpente estava certa, e eu estava errada.

Ajoelhei-me, tirei aos poucos suas roupas e vi que seu sexo estava ali, dormente, sem reagir. Ele parecia não se incomodar com isso, e eu beijei a parte interna de suas pernas, começando pelos pés. O sexo começou a reagir lentamente, e eu o toquei, depois o coloquei em minha boca e — sem pressa, sem que ele interpretasse isso como "vamos, prepare-se para agir!" — beijei-o com o carinho de quem não espera nada, e, justamente por isso, consegui tudo. Vi que ficava excitado; começou a tocar o bico de meus seios, girando-os como naquela noite de total escuridão, deixando-me com vontade de tê-lo de novo entre minhas pernas, ou em minha boca, ou como desejasse ou quisesse me possuir.

Ele não retirou meu casaco; fez com que eu me inclinasse de bruços sobre a mesa, com as pernas ainda apoiadas no chão. Penetrou-me lentamente, desta vez sem ansiedade, sem medo de me perder — porque no fundo também ele já tinha entendido que aquilo era um sonho, e ia permanecer para sempre como um sonho, jamais como realidade.

Ao mesmo tempo que sentia seu sexo dentro de mim, sentia também suas mãos nos seios, nas nádegas, e tocando-me como só uma mulher sabe fazer. Então entendi que éramos feitos um para o outro, porque ele conseguia ser mulher como agora, e eu conseguia ser homem como quando conversamos ou nos iniciamos mutuamente no encontro das duas almas perdidas, dos dois fragmentos que faltavam para completar o Universo.

À medida que ele me penetrava e me tocava ao mesmo tempo, senti que não estava fazendo isso apenas a mim, mas a todo o Universo. Tínhamos tempo, ternura e conhecimento um do outro. Sim, tinha sido ótimo chegar com duas malas, o desejo de partir, ser imediatamente jogada no chão e penetrada com violência e medo; mas também era bom saber que a noite não acabaria nunca, e agora ali, na mesa da cozinha, o orgasmo não era o fim em si, mas início deste encontro.

Seu sexo ficou imóvel dentro de mim, enquanto seus dedos moviam-se rapidamente, e eu tive o primeiro, depois o segundo, e o terceiro orgasmo seguido. Tinha vontade de empurrá-lo, a dor do prazer é tão grande que machuca, mas aguentei firme, aceitei que era assim, que eu podia aguentar mais um orgasmo, ou mais dois, ou mais...

E, de repente, uma espécie de luz explodiu dentro de mim. Não era mais eu mesma, mas um ser infinitamente superior a tudo o que eu conhecia. Quando sua mão me levou ao quarto orgasmo, entrei num lugar onde tudo parecia em paz, e no meu quinto orgasmo conheci Deus. Então senti que ele recomeçava a mexer o seu sexo dentro do meu, embora sua mão não tivesse parado, e disse "meu Deus", me entreguei a qualquer coisa, o inferno ou o paraíso.

Mas era o paraíso. Eu era a terra, as montanhas, os tigres, os rios que corriam até os lagos, os lagos que se transformavam em mar. Ele se movia cada vez mais rapidamente, e a dor se misturava com prazer, eu podia dizer "não aguento mais", mas não seria justo — porque, a esta altura, eu e ele éramos a mesma pessoa.

Deixei que me penetrasse pelo tempo que fosse necessário, suas unhas agora estavam cravadas nas minhas nádegas, e eu ali de bruços, na mesa da cozinha, pensando que não existia melhor lugar no mundo para fazer amor. De novo o barulho da mesa, a respiração cada vez mais rápida, as unhas machucando, e o meu sexo batendo com força no sexo dele, carne com carne, osso com osso, eu ia de novo para um orgasmo, ele ia também, e nada disso — nada disso era MENTIRA!

— Vamos!

Ele sabia o que estava falando, e eu sabia que era o momento, senti que meu corpo todo se afrouxava, eu deixava de ser eu mesma — já não escutava, via, provava o gosto de nada — apenas sentia.

— Vamos!

E eu fui, junto com ele. Não foram onze minutos, mas uma eternidade, era como se os dois saíssemos do corpo e caminhássemos, em profunda alegria, compreensão e amizade, pelos jardins do paraíso. Eu era mulher e homem, ele era homem e mulher. Não sei quanto tempo durou, mas tudo parecia estar em silêncio, em oração, como se o Universo e a vida deixassem de existir e se transformassem em algo sagrado, sem nome, sem tempo.

Mas logo o tempo voltou, eu escutei seus gritos e gritei com ele, os pés da mesa batiam com força no chão, e a nenhum de nós dois ocorreu perguntar ou saber o que o resto do mundo estava pensando.

*E ele saiu de mim sem nenhum aviso, e ria, senti meu
sexo se contrair, me virei para ele e ria também, nos abraça-
mos como se fosse a primeira vez que tivéssemos feito amor em
nossas vidas.*

— Abençoe-me — pediu.

*Eu o abençoei, sem saber o que estava fazendo. Pedi que fi-
zesse o mesmo, e ele fez, dizendo "abençoada seja esta mulher,
que muito amou". Suas palavras eram lindas, tornamos a nos
abraçar e ali ficamos, sem entender como onze minutos podem
levar um homem e uma mulher a tudo isso.*

*Nenhum dos dois estava cansado. Fomos até a sala, ele
colocou um disco e fez exatamente o que eu estava esperando:
acendeu a lareira e serviu-me vinho.*

Em seguida abriu um livro e leu:

Tempo de nascer, tempo de morrer
tempo de plantar, tempo de arrancar a planta
tempo de matar, tempo de curar
tempo de destruir, tempo de construir
tempo de chorar, tempo de rir
tempo de gemer, tempo de bailar
tempo de atirar pedras, tempo de recolher pedras
tempo de abraçar, tempo de separar
tempo de buscar, tempo de perder
tempo de guardar, tempo de jogar fora
tempo de rasgar, tempo de costurar
tempo de calar, tempo de falar
tempo de amar, tempo de odiar
tempo de guerra, tempo de paz.

Aquilo soava como uma despedida. Mas era a mais linda de todas que eu podia experimentar em minha vida.

Eu o abracei, ele me abraçou, deitamos no tapete ao lado da lareira. A sensação de plenitude ainda continuava, como se eu sempre tivesse sido uma mulher sábia, feliz, realizada na vida.

— Como é que você pode se apaixonar por uma prostituta?

— Na época, não entendi. Mas hoje, pensando um pouco, eu acredito que, ao saber que seu corpo jamais seria apenas meu, eu podia me concentrar em conquistar sua alma.

— E o ciúme?

— Não se pode dizer para a primavera: "Tomara que chegue logo e que dure bastante". Pode-se apenas dizer: "Venha, me abençoe com sua esperança e fique o máximo de tempo que puder".

Palavras soltas ao vento. Mas eu precisava escutar, e ele precisava dizer. Dormi sem saber exatamente quando. Sonhei, não com uma situação ou com uma pessoa, mas com um perfume, que inundava tudo.

Quando Maria abriu os olhos, alguns raios de sol já começavam a entrar pelas persianas abertas.

"Fiz duas vezes amor com ele", pensou, olhando para o homem adormecido ao seu lado. "E, no entanto, parece que sempre estivemos juntos, e que ele sempre conheceu minha vida, minha alma, meu corpo, minha luz, minha dor."

Levantou-se para ir até a cozinha e fazer um café. Foi então que viu as duas malas no corredor e lembrou-se de tudo: da promessa, da oração na igreja, da sua vida, do sonho que insiste em transformar-se em realidade e perder seu encanto, do homem perfeito, do amor em que corpo e alma eram a mesma coisa, e prazer e orgasmo eram coisas diferentes.

Podia ficar; não tinha nada mais a perder na vida, apenas mais uma ilusão. Lembrou-se do poema: *tempo de chorar, tempo de rir.*

Mas havia outra frase: *tempo de abraçar, tempo de separar.* Preparou o café, fechou a porta da cozinha, telefonou para chamar um táxi. Reuniu sua força de vontade, que a levara tão distante, a fonte de energia de sua "luz", que lhe dissera a hora exata de partir, que a protegia, que a faria guardar para sempre a lembrança daquela noite. Vestiu-se, pegou suas malas e saiu, torcendo para que ele acordasse antes e lhe pedisse para ficar.

Mas ele não acordou. Enquanto esperava o táxi, do lado de fora, uma cigana passou, com um buquê de flores.

— Quer comprar uma?

Maria comprou; era o sinal de que o outono havia chegado, o verão ficava para trás. Genève já não teria, por muito tempo, as mesas nas calçadas e os parques cheios de gente passeando e banhando-se de sol. Não fazia mal; estava indo embora porque essa era a sua escolha, e não havia o que lamentar.

Chegou ao aeroporto, tomou outro café, ficou quatro horas esperando o voo para Paris, sempre pensando que ele iria entrar a qualquer instante, já que, em algum momento antes de dormir, dissera a hora de sua partida. Assim acontecia nos filmes: no momento final, quando a mulher está quase entrando no avião, o homem aparece desesperado, a agarra, dá-lhe um beijo e a traz de volta para o seu mundo, sob o olhar risonho e complacente dos funcionários da companhia aérea. Entra o letreiro "Fim", e todos os espectadores sabem que, a partir dali, viverão felizes para sempre.

"Os filmes nunca contam o que acontece depois", dizia para si mesma, tentando se consolar. Casamento, cozinha, filhos, um sexo cada vez mais inconstante, a descoberta do primeiro bilhete da amante, decidir, fazer um escândalo, escutar promessas de que isso não se repetirá, o segundo bilhete de uma outra amante, outro escândalo e a ameaça de separação, desta vez o homem não reage com tanta segurança, apenas diz que a ama. O terceiro bilhete, da terceira amante, e então escolher o silêncio, fingindo que não sabe, porque pode ser que ele diga que não a ama mais, que é livre para partir. Não, os filmes não contam isso. Acabam antes que o verdadeiro mundo comece. Melhor não ficar pensando. Leu uma, duas, três revistas. Finalmente chamaram seu voo, depois de quase uma eternidade naquele saguão de aeroporto, e embarcou. Ainda imaginou a famosa cena em que, assim que se aperta o cinto, sente-se a mão no ombro, olha-se para trás, e ali está ele, sorrindo.

E nada aconteceu.

Dormiu durante o curto trecho que separava Genève de Paris. Não teve tempo de pensar no que diria em casa, qual a história que contaria — mas com toda a certeza seus pais ficariam contentes, sabendo que tinham uma filha de volta, uma fazenda e uma velhice confortável.

Acordou com o solavanco da aterrissagem. O avião taxiou por muito tempo, a aeromoça veio dizer que ela precisava trocar de terminal, pois o voo para o Brasil saía do Terminal F e ela estava no Terminal C. Mas que não se preocupasse, não havia atrasos, ainda tinha muito tempo e, se tivesse alguma dúvida, o pessoal de terra poderia ajudá-la a encontrar seu caminho.

Enquanto a aeronave se aproximava do local do desembarque, pensou se valia a pena passar um dia naquela cidade, apenas para tirar umas fotos e contar aos outros que conhecera Paris. Precisava de tempo para pensar, estar sozinha consigo mesma, esconder bem fundo as lembranças da noite anterior, de modo que pudesse usá-las sempre que precisasse sentir-se viva. Sim, Paris era uma excelente ideia; perguntou à aeromoça quando sairia o próximo voo para o Brasil, se resolvesse não embarcar naquele dia.

A aeromoça pediu seu bilhete, lamentou muito, mas era uma tarifa que não permitia este tipo de escala. Maria consolou a si mesma, pensando que ver uma cidade tão linda sozinha iria deixá-la deprimida. Estava conseguindo manter seu sangue-frio, sua força de vontade, não ia estragar tudo com uma bela paisagem e as saudades de alguém.

Desembarcou, passou pelos controles da polícia, sua bagagem iria diretamente para o outro avião, não havia com que se preocupar. As portas se abriram, os passageiros saíam e abraçavam alguém que os esperava, a mulher, a mãe, os filhos. Maria fingiu que nada daquilo era com ela, ao mesmo tempo que pensava de novo em sua solidão; só que desta vez tinha um segredo, um sonho, não era tão amarga, e a vida seria mais fácil.

— Sempre haverá Paris.

Não era um guia turístico. Não era um motorista de táxi. Suas pernas tremeram quando escutou a voz.

— Sempre haverá Paris?

— É a frase de um filme que adoro. Gostaria de ver a Torre Eiffel?

Gostaria, sim. Gostaria muito. Ralf tinha um buquê de rosas e os olhos cheios de luz, a luz que ela vira no primeiro dia, quando a pintava enquanto o vento frio fazia com que se sentisse incomodada por estar ali.

— Como você chegou aqui antes de mim? — perguntou apenas para disfarçar a surpresa, a resposta não tinha o menor interesse, mas precisava de algum tempo para respirar.

— Vi você lendo uma revista. Podia ter chegado perto, mas sou romântico, incuravelmente romântico, e achei que seria melhor tomar a primeira ponte aérea para Paris, passear um pouco pelo aeroporto, esperar três horas, consultar um sem-número de vezes os horários dos voos, comprar suas flores, dizer a frase que Ricky diz para sua amada em *Casablanca*, e imaginar sua cara de surpresa. E ter certeza de que isso é o que você queria, que me esperava, que toda a determinação e vontade do mundo não bastam para impedir que o amor mude as regras do jogo de uma hora para outra. Não custa nada ser romântico como nos filmes, você não acha?

Não sabia se custava ou não, mas o preço agora era o que menos lhe importava — mesmo sabendo que acabara de conhecer aquele homem, tinham feito amor pela primeira vez há poucas horas, fora apresentada aos seus amigos na véspera, sabia que ele já havia frequentado a boate onde trabalhava e que fora casado duas vezes. Não eram credenciais impecáveis. Por outro lado, ela tinha dinheiro para comprar uma fazenda, a juventude pela frente, uma grande experiência de vida, uma grande independência de alma. Mesmo assim, como sempre o destino escolhia por ela, achou que mais uma vez podia correr o risco.

Beijou-o, sem nenhuma curiosidade de saber o que se passa depois que escrevem "Fim" nas telas de cinema.

Apenas, se algum dia alguém decidisse contar sua história, ia pedir que começasse como os contos de fadas, em que se diz:

Era uma vez...

Palavras finais

Como todas as pessoas do mundo — e neste caso não tenho o menor receio de generalizar —, demorei até descobrir o sentido sagrado do sexo. Minha juventude coincidiu com uma época de extrema liberdade, com descobertas importantes e muitos excessos, seguida de um período conservador, repressivo, preço a ser pago por exageros que realmente deixaram sequelas um pouco duras.

Na década dos excessos (estamos falando dos anos 70), Irving Wallace escreveu um livro sobre a censura americana, usando para isso as manobras jurídicas que visavam impedir a publicação de um texto sobre sexo: *Os sete minutos.*

No romance de Wallace, o livro que é motivo da discussão sobre a censura é apenas insinuado, e o tema da sexualidade raramente aparece. Fiquei imaginando o que conteria o tal livro proibido; quem sabe poderia tentar escrevê-lo?

Acontece que, durante o seu romance, Wallace faz muitas referências ao tal livro inexistente, e isso terminou por limitar — e impossibilitar — a tarefa que eu havia imaginado. Ficou apenas a lembrança do título (acho que Wallace foi muito conservador com relação ao tempo, e resolvi ampliá-lo) e a ideia de que era importante abordar a sexualidade de uma maneira séria — o que, aliás, já foi feito por muitos escritores.

Em 1997, logo após terminar uma conferência em Mantova (Itália), encontrei no hotel onde estava hospedado um manuscrito que haviam deixado na portaria. Não leio manuscritos, mas li aquele — a história real de uma prostituta brasileira, seus casamentos, suas dificuldades com a lei, suas aventuras. Em 2000, passando por Zurique, entrei em contato com a prostituta — cujo nome de guerra é Sonia — e disse que tinha gostado do seu texto. Recomendei que o enviasse à minha editora brasileira, que decidiu não publicá-lo. Sonia, que então tinha fixado residência na Itália, pegou um trem e foi me encontrar em Zurique. Convidou-nos — a mim, um amigo e uma repórter do jornal *Blick*, que acabara de me entrevistar — para ir até Langstrasse, a zona de prostituição local. Eu não sabia que Sonia já havia prevenido suas colegas a respeito da nossa visita, e, para minha surpresa, terminei dando vários autógrafos em livros meus, em diversas línguas.

A essa altura, eu já estava decidido a escrever sobre sexo, mas ainda não tinha nem o roteiro, nem o personagem principal; pensava em algo muito mais dirigido para a busca convencional do sagrado, mas aquela visita a Langstrasse me ensinou: para escrever sobre o lado sagrado, era necessário entender por que ele tinha sido tão profanado.

Conversando com um jornalista da revista *L'Ilustrée* (Suíça), contei a história da improvisada noite de autógrafos em Langstrasse, e ele publicou uma grande reportagem a respeito. O resultado foi que, durante uma tarde de autógrafos em Genebra, várias prostitutas apareceram com seus livros. Uma delas me chamou especial atenção e saímos junto com minha agente e amiga, Mônica Antunes — para tomar um café, que se transformou em jantar, que se transformou em outros encontros nos dias que se seguiram. Ali nascia o fio condutor de *Onze minutos*.

Quero agradecer a Anna Von Planta, minha editora suíça, que me ajudou com dados importantes sobre a situação legal das prostitutas em seu país. Às seguintes mulheres em Zurique (nomes de guerra): Sonia, que encontrei pela primeira vez em Mantova (quem sabe alguém um dia se interesse pelo seu livro!), Martha, Antenora, Isabella. Em Genebra (também nomes de guerra): Amy, Lucia, Andrei, Vanessa, Patrick, Therése, Anna Christina.

Agradeço também a Antonella Zara, que me permitiu usar trechos de seu livro *A ciência da paixão* para ilustrar algumas partes do diário de Maria.

Finalmente, agradeço a Maria (nome de guerra), hoje residindo em Lausanne, casada e com duas belas filhas, que em nossos vários encontros dividiu comigo e com Mônica sua história, na qual este livro é baseado.

Sobre o autor

Paulo Coelho nasceu em 1947, no Rio de Janeiro. Antes de se dedicar à literatura, foi diretor de teatro, dramaturgo, jornalista e compositor. É autor do clássico *O Alquimista*, livro brasileiro mais vendido de todos os tempos, há mais de quatrocentas semanas na lista de best-sellers do New York Times. Grande fenômeno literário internacional, tem sua obra publicada em mais de 170 países e traduzida para 81 idiomas. Juntos, seus livros já venderam mais de 210 milhões de exemplares.

Entre os inúmeros prêmios e condecorações que recebeu ao longo da carreira estão o Crystal Award, do Fórum Econômico Mundial, e o prestigioso título de *chevalier de l'ordre national de la Légion 'honneur*. Desde 2002 é membro da Academia Brasileira de Letras e, em 2007, tornou-se Mensageiro da Paz das Nações Unidas.

TIPOGRAFIA Adriane por Marconi Lima
DIAGRAMAÇÃO Osmane Garcia Filho
PAPEL Pólen Natural, Suzano S.A.
IMPRESSÃO Bartira, abril de 2023

A marca FSC® é a garantia de que a madeira utilizada na fabricação do papel deste livro provém de florestas que foram gerenciadas de maneira ambientalmente correta, socialmente justa e economicamente viável, além de outras fontes de origem controlada.